Inglés

Diccionario ilustrado

Inglés
Diccionario ilustrado

Berlitz Kids™
Berlitz Publishing Company, Inc.

Princeton   Mexico City   Dublin
Eschborn   Singapore

Cover illustration by Chris L. Demarest
Interior illustrations by Chris L. Demarest (pages 3, 5, 7-9, 12-23, 26-43,
46-51, 54-67, 70-75, 78-85, 88-107, and 110-119)
Anna DiVito (pages 24, 25, 52, 53, 76, 77, 86, 87, and 120-123)
Claude Martinot (pages 10, 11, 44, 45, 68, 69, 108, and 109)

Printed in USA

1   3   5   7   9   10   8   6   4   2

ISBN 2–8315–6253–8

Estimados padres,

El *Diccionario ilustrado* Berlitz Kids™ les proporcionará, a ustedes y a sus hijos, muchas horas de diversión y aprendizaje productivo. A los niños les encanta leer libros con los adultos, y la lectura es un medio natural, que le permite a sus hijos aprender un segundo idioma, de una manera amena y entretenida.

En 1878, el profesor Maximilian Berlitz tuvo una idea revolucionaria para lograr que el aprendizaje de un idioma fuera accesible y ameno. Los mismos principios se mantienen hoy en día. Actualmente, habiendo transcurrido más de un siglo, este exitoso método es reconocido a nivel mundial. Berlitz Kids™ combina la antigua tradición del profesor Berlitz con las investigaciones recientes para crear productos superiores, que verdaderamente ayudan a los niños a aprender y disfrutar del conocimiento de un idioma extranjero.

Los materiales de Berlitz Kids™ permiten a su hijo acceder a un segundo idioma, de manera positiva y atractiva. El contenido y vocabulario de este libro—cuidadosamente escogidos por expertos del idioma—proporcionan las palabras y frases básicas, que son el fundamento de un vocabulario esencial. Asimismo, el libro entretendrá a sus hijos, ya que cada palabra es utilizada dentro del contexto de una oración ingeniosa, en ambos idiomas, y representada gráficamente mediante simpáticas ilustraciones. ¡Las imágenes constituyen una forma ideal para captar la atención de los niños!

La mayoría de las palabras se listan en forma separada. No obstante, de vez en cuando, hay una página especial que contiene palabras agrupadas por tema. Por ejemplo, si el niño tiene un interés especial en los animales, encontrará una página especial sobre animales, con gran cantidad de palabras e imágenes agrupadas allí—tanto en inglés como en el otro idioma. Además, a fin de ayudar al niño con las frases utilizadas en la conversación elemental, hacia el final del libro encontrarán frases acerca de situaciones tales como conocer gente nueva y compartir la cena en familia.

Al final del *Diccionario ilustrado* Berlitz Kids™ hay un índice muy fácil de usar. En él se listan las palabras, por orden alfabético, en el otro idioma y, seguidamente, da su traducción en español y el número de la página en la que aparece la palabra en la parte principal del libro. Las palabras contenidas en este libro figuran por orden alfabético en inglés. Esta colocación reforzará los conocimientos que el niño tiene del alfabeto inglés y le hará sentir que ha comenzado bien en el otro idioma.

Confiamos en que el *Diccionario ilustrado* Berlitz Kids™ les proporcionará, a ustedes y a sus hijos, muchísimas horas de aprendizaje ameno y divertido.

Los editores de Berlitz Kids™

un/una
a/an

El gato come un emparedado y una manzana de almuerzo.

A sandwich and an apple are the cat's lunch.

al otro lado
across

El tenedor está al otro lado de la cuchara.

The fork is across from the spoon.

sumar
to add

Me gusta sumar números.

I like to add numbers.

la aventura
adventure

¡Qué aventura!

What an adventure!

el miedo
afraid

El elefante tiene miedo.

The elephant is afraid.

después
after

Ella come una manzana después del almuerzo.

She eats an apple after lunch.

una y otra vez
again and again

Ella salta una y otra vez.

She jumps again and again.

estar de acuerdo
to agree

Ellos necesitan estar de acuerdo.

They need to agree.

el aire
air

Un globo está lleno de aire.

A balloon is full of air.

7

el avión *Ver Los medios de transporte (página 108).*

airplane *See Transportation (page 108).*

el aeropuerto
airport

Los aviones aterrizan en el aeropuerto.

Airplanes land at an airport.

todas
all

Todas las ranas son verdes.

All the frogs are green.

el caimán *Ver Los animales (página 10).*
alligator *See Animals (page 10).*

casi
almost

Casi lo alcanza.

He can almost reach it.

por
along

Hay aves por el camino.

There are birds along the path.

ya
already

Él ya tiene un sombrero.

He already has a hat.

y
and

Yo tengo dos hermanas y dos hermanos.

I have two sisters and two brothers.

responder
to answer

¿Quién quiere responder a la pregunta de la maestra?

Who wants to answer the teacher's question?

la hormiga *Ver Los insectos (página 52).*
ant *See Insects (page 52).*

el apartamento
apartment

Él está en el
apartamento.

He is in the
apartment.

la manzana
apple

La manzana se cae.

The apple
is falling.

abril
April

El mes que sigue a
marzo es abril.

The month after
March is April.

el brazo *Ver Las personas (página 76).*
arm *See People (page 76).*

el armadillo
armadillo

Algunos armadillos
viven en México.

Some armadillos
live in Mexico.

alrededor
around

Alguien camina
alrededor del banquillo.

Someone is walking
around the stool.

el arte
art

¿Es arte?

Is it art?

como
as

¡Él es tan alto como
un árbol!

He is as tall as
a tree!

Los animales
Animals

el canguro
kangaroo

el mono
monkey

el león
lion

el elefante
elephant

el oso
bear

la jirafa
giraffe

el jaguar
jaguar

la llama
llama

el caimán
alligator

la serpiente
snake

el zorro
fox

el hipopótamo
hippopotamus

la vaca
cow

el caballo
horse

el gallo
rooster

la cabra
goat

el conejo
rabbit

la oveja
sheep

el pollo
chicken

el cerdo
pig

el pez
fish

el pato
duck

la rana
frog

11

preguntar
to ask

Llegó el momento de preguntar: —¿Dónde están mis ovejas?

It is time to ask, "Where are my sheep?"

la tía
aunt

Mi tía es la hermana de mi mamá.

My aunt is my mom's sister.

en
at

El gato está en casa.

The cat is at home.

despierto
awake

El pato está despierto.

The duck is awake.

el ático   *Ver Los cuartos de una casa (página 86).*
attic   *See Rooms in a House (page 86).*

agosto
August

El mes que sigue a julio es agosto.

The month after July is August.

lejos
away

El gato se va lejos.

The cat is going away.

el bebé
baby

Al bebé le gusta comer plátanos.

The baby likes to eat bananas.

la espalda
back

Ella le rasca la espalda.

She is scratching his back.

malo
bad

¡Qué monstruo tan malo!

What a bad, bad monster!

la bolsa
bag

La bolsa está llena.

The bag is full.

la panadería
bakery

¡Mmm! ¡Todo huele muy rico en la panadería!

Mmm! Everything at the bakery smells great!

la pelota
ball

¿Puede él atrapar la pelota?

Can he catch the ball?

el globo
balloon

¡Es un globo!

It is a balloon!

el plátano
banana

Los plátanos están en la fuente.

The bananas are in the bowl.

la banda
band

La banda toca fuerte.

The band is loud.

la venda
bandage

Ella tiene una venda en la rodilla.

She has a bandage on her knee.

la alcancía
bank

¡Pon tu dinero en la alcancía!

Put your money into the bank!

el barbero
barber

El barbero me corta el cabello.

The barber cuts my hair.

ladrar
to bark

A los perros les gusta ladrar.

Dogs like to bark.

el béisbol
baseball

Ver Los juegos y los deportes *(página 44).*

See Games and Sports (page 44).

el sótano
basement

Ver Los cuartos de una casa *(página 86).*

See Rooms in a House (page 86).

la canasta
basket

¿Qué hay dentro de la canasta?

What is in the basket?

el baloncesto
basketball

Ver Los juegos y los deportes *(página 44).*

See Games and Sports (page 44).

el murciélago
bat

El murciélago duerme.

The bat is sleeping.

el bate
bat

¡Pégale a la pelota con el bate!

Hit the ball with the bat!

bañarse
bath

Ella se baña.

She is taking a bath.

el baño
bathroom

Ver Los cuartos de una casa *(página 86).*

See Rooms in a House (page 86).

ser
to be

¿Quieres ser mi amigo?

Would you like to be my friend?

la playa
beach

Me gusta jugar en la playa.

I like to play at the beach.

la cama
bed

La cama está al lado de la mesa.

The bed is next to the table.

los frijoles
beans

A él le gustan los frijoles.

He likes to eat beans.

el dormitorio
Ver Los cuartos de una casa (página 86).

bedroom
See Rooms in a House (page 86).

la abeja
Ver Los insectos (página 52).

bee
See Insects (page 52).

el oso
Ver Los animales (página 10).

bear
See Animals (page 10).

el escarabajo
Ver Los insectos (página 52).

beetle
See Insects (page 52).

bonitas
beautiful

Mira las cosas bonitas.

Look at the beautiful things.

antes
before

Ponte las medias antes de ponerte los zapatos.

Put on your socks before you put on your shoes.

porque
because

Ella está mojada porque llueve.

She is wet because it is raining.

comenzar
to begin

Ella quiere comenzar a pintar.

She wants to begin the painting.

detrás
behind

El niño está detrás del árbol.

The boy is behind the tree.

creer
to believe

Esto es demasiado bueno para poder creerlo.

This is too good to believe.

la campana
bell

¡No toques esa campana!

Don't ring that bell!

el cinturón
belt
Ver La ropa (página 24).
See Clothing (page 24).

la baya
berry

Esas bayas parecen ricas.

Those berries look good.

la mejor
best

La caja roja es la mejor.

The red box is the best.

mejor
better

El cinturón es mejor que el imperdible.

The belt is better than the pin.

entre
between

Él está entre dos árboles.

He is between two trees.

la bicicleta
bicycle
Ver Los medios de transporte (página 108).
See Transportation (page 108).

grande
big

Él es muy grande.

He is very big.

el ciclismo *Ver Los juegos y los deportes (página 44).*

biking *See Games and Sports (page 44).*

el ave
bird

El ave vuela hacia el sur por el invierno.

The bird is flying south for winter.

el cumpleaños
birthday

Hoy ella cumple un año. ¡Feliz cumpleaños!

She is one year old today. Happy birthday!

negro *Ver Los números y los colores (página 68).*

black *See Numbers and Colors (page 68).*

en blanco
blank

Las páginas están en blanco.

The pages are blank.

la manta
blanket

¿Qué hay debajo de esa manta azul?

What is under that blue blanket?

la blusa *Ver La ropa (página 24).*

blouse *See Clothing (page 24).*

soplar
to blow

Comienza a soplar el viento.

The wind is starting to blow.

azul *Ver Los números y los colores (página 68).*

blue *See Numbers and Colors (page 68).*

el barco *Ver Los medios de transporte (página 108).*

boat *See Transportation (page 108).*

el libro
book

Leo un libro.

I am reading a book.

la librería
bookstore

En una librería puedes comprar un libro.

You can buy a book at a bookstore.

las botas *Ver La ropa (página 24).*
boots *See Clothing (page 24).*

la botella
bottle

La pajita está en
la botella.

The straw is in
the bottle.

la fuente
bowl

Aún hay comida en
la fuente.

Some food is still in
the bowl.

los bolos *Ver Los juegos y los deportes (página 44).*
bowling *See Games and Sports (page 44).*

la caja
box

¿Por qué está ese
zorro en la caja?

Why is that fox
in the box?

el niño
boy

Los niños son
hermanos.

The boys are
brothers.

la rama
branch

¡Ay, no! ¡Bájate de
esa rama!

Oh, no! Get off
that tree branch!

valiente
brave

¡Qué ratón tan
valiente!

What a brave
mouse!

el pan
bread

A él le gusta el pan
con jalea y mantequilla.

He likes bread
with jam and butter.

romper
to break

Es fácil romper
un huevo.

It is easy to break
an egg.

el desayuno
breakfast

El desayuno se come
a la mañana.

Morning is the time
for breakfast.

el puente
bridge

El barco está debajo del puente.

The boat is under the bridge.

traer
to bring

Ella quiere traer el cordero a la escuela.

She wants to bring the lamb to school.

la escoba
broom

La escoba sirve para barrer.

A broom is for sweeping.

el hermano
brother

Él es mi hermano.

He is my brother.

marrón *Ver Los números y los colores (página 68).*
brown *See Numbers and Colors (page 68).*

el cepillo
brush

Necesito mi cepillo.

I need my hairbrush.

la burbuja
bubble

La bañera está llena de burbujas.

The bathtub is full of bubbles.

el insecto
bug

¿Sabes cómo se llama este insecto?

Do you know the name of this bug?

construir
to build

Quiero construir una caja.

I want to build a box.

el bache
bump

La bicicleta tropezó contra un bache.

The bicycle hit a bump.

B

el autobús *Ver Los medios de transporte (página 108).*

bus *See Transportation (page 108).*

el arbusto
bush

Hay un pájaro en el arbusto.

A bird is in the bush.

ocupado
busy

Él está muy ocupado.

He is very busy.

pero
but

El lápiz está sobre la mesa, pero el libro está sobre la silla.

The pencil is on the table, but the book is on the chair.

la mantequilla
butter

El pan con mantequilla sabe bien.

The bread and butter taste good.

la mariposa *Ver Los insectos (página 52).*
butterfly *See Insects (page 52).*

el botón
button

Falta un botón.

One button is missing

comprar
to buy

Él quiere comprar un plátano.

He wants to buy a banana.

al lado de
by

Ella está al lado del queso.

She is standing by the cheese.

la jaula
cage

El ave está sobre
la jaula.

**The bird is on
the cage.**

el pastel
cake

A ella le gusta comer
pastel.

**She likes to
eat cake.**

llamar
to call

Acuérdate de llamarme
nuevamente.

**Remember to call
me again later.**

el camello
camel

El camello tiene calor.

The camel is hot.

la cámara
camera

¡Sonríe frente a
la cámara!

**Smile at the
camera!**

la lata
can

¿Qué hay dentro
de esa lata?

What is in that can?

la vela
candle

Ella enciende la vela.

**She is lighting
the candle.**

el caramelo
candy

El caramelo es dulce.

Candy is sweet.

la gorra   *Ver La ropa (página 24).*
cap   *See Clothing (page 24).*

el automóvil *Ver Los medios de transporte (página 108).*

car *See Transportation (page 108).*

la carta
card

¿Quieres jugar a las cartas?

Do you want to play cards?

cuidar
to care

Su ocupación es cuidar de los animales.

Her job is to care for pets.

el carpintero
carpenter

Un carpintero hace cosas con madera.

A carpenter makes things with wood.

la zanahoria
carrot

La zanahoria es anaranjada.

A carrot is orange.

llevar
to carry

¿Estás seguro de que quieres llevar eso?

Are you sure you want to carry that?

las castañuelas
castanets

¡Toca las castañuelas al compás de la música!

Click the castanets to the music!

el castillo
castle

El rey vive en un castillo.

The king lives in a castle.

el gato
cat

El gato ve al ratón.

The cat sees the mouse.

la oruga *Ver Los insectos (página 52).*
caterpillar *See Insects (page 52).*

atrapar
to catch

Él corre para
atrapar la pelota.

**He runs to
catch the ball**

**la cueva
cave**

¿Quién vive en
la cueva?

**Who lives in
the cave?**

**celebrar
to celebrate**

Están aquí para celebrar
su cumpleaños.

**They are here
to celebrate
his birthday.**

**la silla
chair**

Él está sentado en
una silla.

**He is sitting on
a chair.**

**la tiza
chalk**

Puedes usar tiza
para escribir.

**You can write
with chalk.**

**cambiar
to change**

Él se quiere cambiar
la camisa.

**He wants to change
his shirt.**

**alentar
to cheer**

Es divertido alentar a
nuestro equipo.

**It is fun to cheer
for our team.**

**el queso
cheese**

Al ratón le gusta
comer queso.

**The mouse likes
to eat cheese.**

La ropa
Clothing

el chaleco **vest**

el sombrero **hat**

el impermeable **raincoat**

la gorra **cap**

las orejeras **earmuffs**

la camisa **shirt**

la corbata **tie**

la chaqueta **jacket**

el cinturón **belt**

los pantalones **pants**

los guantes **gloves**

los calcetines **socks**

las zapatillas **sneakers**

el vestido **dress**

el abrigo **coat**

los mitones **mittens**

la bufanda **scarf**

la blusa **blouse**

las botas **boots**

el suéter **sweater**

la falda **skirt**

los zapatos **shoes**

el chal **shawl**

25

la cereza
cherry

Él quiere una cereza.

He wants a cherry.

el pollo
chicken
Ver Los animales (página 10).
See Animals (page 10).

la niña
child

Ella es una
niña feliz.

**She is a
happy child.**

el chocolate
chocolate

A él le gusta
el chocolate.

He likes chocolate.

el círculo
circle

Está trazando
un círculo.

**It is drawing
a circle.**

el circo
circus

En un circo hay
payasos.

**There are clowns
at a circus.**

la ciudad
city

Esta vaca no vive
en la ciudad.

**This cow does not
live in the city.**

aplaudir
to clap

A él le gusta aplaudir
cuando está contento.

**He likes to clap
when he is happy.**

la clase
class

En mi clase hay
un elefante.

**There is an elephant
in my class.**

el salón de clases
classroom

Una maestra trabaja en un salón de clases.

A teacher works in a classroom.

limpio
clean

El automóvil está muy limpio.

The car is very clean.

limpiar
to clean

Él está comenzando a limpiar su cuarto.

He is starting to clean his room.

treparse
to climb

Al oso le gusta treparse al árbol.

The bear likes to climb the tree.

el reloj
clock

El reloj da la hora.

A clock tells time.

cerca
close

La tortuga está cerca de la roca.

The turtle is close to the rock.

cerrar
to close

Él va a cerrar la ventana.

He is going to close the window.

el armario   *Ver Los cuartos de una casa (página 86).*

closet   *See Rooms in a House (page 86).*

la nube
cloud

El sol está detrás de la nube.

The sun is behind the cloud.

27

el payaso
clown

El payaso es gracioso.

The clown is funny.

el abrigo *Ver La ropa (página 24).*
coat *See Clothing (page 24).*

el frío
cold

¡Aquí hace frío!

It is cold in here!

el peine
comb

¿Dónde está mi peine?

Where is my comb?

peinar
to comb

A él le gusta peinarse.

He likes to comb his hair.

venir
to come

Él quiere que ellos vengan acá.

He wants them to come over here.

la computadora
computer

Creo que está trabajando demasiado en la computadora.

I think she is working at her computer too long.

cocinar
to cook

Cocinar es divertido.

It is fun to cook.

la galletita
cookie

María quiere una galletita.

Mary wants a cookie.

contar
to count

Hay demasiadas estrellas para contar.

There are too many stars to count.

el campo
country

El campo es hermoso.

The country is beautiful.

la vaca   *Ver Los animales (página 10).*
cow   *See Animals (page 10).*

el crayón
crayon

Ella dibuja con sus crayones.

She is drawing with her crayons.

el críquet   *Ver Los juegos y los deportes (página 44).*
cricket   *See Games and Sports (page 44).*

el grillo   *Ver Los insectos (página 52).*
cricket   *See Insects (page 52).*

lleno
crowded

Este ascensor está lleno.

This elevator is crowded.

llorar
to cry

¡Trata de no llorar!

Try not to cry!

la taza
cup

Él bebe agua de la taza.

He is drinking water from the cup.

cortar
to cut

¡Usa un cuchillo para cortar las zanahorias!

Use a knife to cut the carrots!

bonito
cute

Ella cree que su bebé es bonito.

She thinks her baby is cute.

D

el papá
dad

Mi papá y yo nos parecemos.

My dad and I look alike.

bailar
to dance

Al cerdo le gusta bailar y tocar el tambor.

The pig likes to dance and play the drum.

el peligro
danger

Corre peligro.

He is in danger.

oscuro
dark

De noche todo está oscuro.

It is dark at night.

el día
day

El sol brilla de día.

The sun shines in the day.

diciembre
December

El mes que sigue a noviembre es diciembre.

The month after November is December.

decidir
to decide

Es difícil decidir.

It is hard to decide.

la decisión
decision

Es una buena decisión.

That is a good decision.

la terraza *Ver Los cuartos de una casa (página 86).*

deck *See Rooms in a House (page 86).*

los adornos
decorations

¡Qué bien se ven los adornos!

The decorations look great!

30

el venado
deer

El venado corre por el bosque.

The deer is running in the woods.

difícil
difficult

¡Esto es difícil!

This is difficult!

la dentista
dentist

La dentista tiene mucho trabajo.

The dentist has a big job.

cavar
to dig

El perro usa las patas para cavar.

A dog uses its paws to dig.

la sección
department

Ésta es la sección de los sombreros.

This is the hat department.

el comedor   *Ver Los cuartos de una casa (página 86).*

dining room   *See Rooms in a House (page 86).*

el escritorio
desk

El escritorio está muy desordenado.

The desk is very messy.

la cena
dinner

Comemos la cena a las seis de la tarde.

We have dinner at six o'clock.

diferente
different

El del medio es diferente.

The one in the middle is different.

el dinosaurio
dinosaur

El dinosaurio se está divirtiendo.

The dinosaur is having fun.

sucio
dirty

El cerdo está sucio.

The pig is dirty.

el plato
dish

¡No tires los platos!

Do not drop the dishes!

hacer
to do

Él tiene mucho que hacer.

He has a lot to do.

el doctor
doctor

El doctor revisa al bebé.

The doctor checks the baby.

el perro
dog

El perro tiene un sombrero gracioso.

The dog has a funny hat.

la muñeca
doll

La muñeca está en la caja.

The doll is in a box.

el delfín
dolphin

Los delfines viven en el mar.

Dolphins live in the sea.

el asno
donkey

El asno está dormido.

The donkey is sleeping.

la puerta
door

¿Qué hay detrás de la puerta?

What is behind the door?

abajo
down

El ascensor va hacia abajo.

The elevator is going down.

el dragón
dragon

El dragón prepara el almuerzo.

The dragon is cooking lunch.

dibujar
to draw

A él le gusta dibujar.

He likes to draw.

el dibujo
drawing

¡Mira mi dibujo!

Look at my drawing!

el vestido   *Ver La ropa (página 24).*
dress   *See Clothing (page 24).*

beber
to drink

A ella le gusta beber leche.

She likes to drink milk.

conducir
to drive

Él es demasiado pequeño para conducir.

He is too small to drive.

dejar caer
to drop

Va a dejar caer la tarta.

He is going to drop the pie.

el tambor
drum

Él sabe tocar el tambor.

He can play the drum.

seca
dry

La camisa está seca.

The shirt is dry.

el pato   *Ver Los animales (página 10).*
duck   *See Animals (page 10).*

el polvo
dust

Hay polvo bajo la cama.

There is dust under the bed.

E

cada
each

Cada cristal de nieve
es distinto.

**Each snowflake
is different.**

la oreja
ear
Ver Las personas (página 76).
See People (page 76).

temprano
early

El sol sale temprano.

**The sun comes up
early in the day.**

las orejeras
earmuffs
Ver La ropa (página 24).
See Clothing (page 24).

ganar
to earn

Trabajamos para
ganar dinero.

**We work to earn
money.**

el este
east

El sol sale por el este.

**The sun comes up
in the east.**

comer
to eat

A este pájaro le gusta
comer gusanos.

**This bird likes to
eat worms.**

el huevo
egg

La gallina puso un
huevo.

**The hen has
an egg.**

ocho
eight
Ver Los números y los colores (página 68).
See Numbers and Colors (page 68).

dieciocho
eighteen
Ver Los números y los colores (página 68).
See Numbers and Colors (page 68).

ochenta
eighty
Ver Los números y los colores (página 68).
See Numbers and Colors (page 68).

el elefante
elephant
Ver Los animales (página 10).
See Animals (page 10).

once
eleven
Ver Los números y los colores (página 68).
See Numbers and Colors (page 68).

vacía
empty

La botella está vacía.

The bottle is empty.

acabar
to end

Es hora de acabar el juego.

It is time to end the game.

suficiente
enough

¡Tiene suficiente comida!

He has enough food!

todos
every

Todos los huevos están rotos.

Every egg is broken.

todo el mundo
everyone

¡Aquí todo el mundo tiene manchas!

Everyone here has spots!

todo
everything

Todo es morado.

Everything is purple.

por todas partes
everywhere

Hay pelotas por todas partes.

There are balls everywhere.

agitado
excited

Él está agitado.

He is excited.

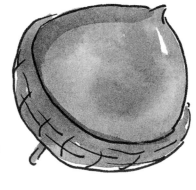

el ojo *Ver Las personas (página 76).*
eye *See People (page 76).*

F

la cara *Ver Las personas (página 76).*
face *See People (page 76).*

la fábrica
factory

En esta fábrica se fabrican latas.

Cans are made in this factory.

caer
to fall

Él está a punto de caer.

He is about to fall.

el otoño
fall

Es otoño.

It is fall.

la familia
family

Ésta es una familia grande.

This is a big family.

el ventilador
fan

¡Por favor, apaga el ventilador!

Please, turn off the fan!

lejos
far

La luna está lejos.

The moon is far away.

lejano
faraway

Ella se va a un lugar lejano.

She is going to a faraway place.

rápido
fast

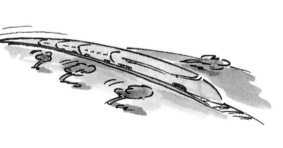

¡El tren va rápido!

That train is going fast!

gordo
fat

El cerdo es gordo.

The pig is fat.

el padre
father

Mi padre y yo nos parecemos.

My father and I look alike.

favorito
favorite

Éste es mi juguete favorito.

This is my favorite toy.

la pluma
feather

La pluma le hace cosquillas en la nariz.

The feather is tickling her nose.

febrero
February

El mes que sigue a enero es febrero.

The month after January is February.

sentirse
to feel

A él le gusta sentirse seguro.

He likes to feel safe.

la cerca
fence

Hay una cebra en mi cerca.

A zebra is on my fence.

quince *Ver Los números y los colores (página 68).*
fifteen *See Numbers and Colors (page 68).*

cincuenta *Ver Los números y los colores (página 68).*
fifty *See Numbers and Colors (page 68).*

hallar
to find

Él trata de hallar su cometa.

He is trying to find his kite.

el dedo *Ver Las personas (página 76).*
finger *See People (page 76).*

el fuego
fire

Él puede apagar el fuego.

He can put out the fire.

37

el bombero
firefighter

El bombero lleva botas
y un sombrero.

**The firefighter has
boots and a hat.**

la luciérnaga
firefly
Ver Los insectos (página 52).
See Insects (page 52).

la estación de
bomberos
firehouse

¡Bienvenidos a la
estación de bomberos!

**Welcome to the
firehouse!**

el primero
first

El amarillo es
el primero de la fila.

**The yellow one is
first in line.**

el pez *Ver Los animales (página 10).*
fish *See Animals (page 10).*

cinco *Ver Los números y los colores (página 68).*
five *See Numbers and Colors (page 68).*

arreglar
to fix

Ella lo quiere
arreglar.

**She wants to
fix it.**

la bandera
flag

Hay una bandera sobre
su sombrero.

**A flag is above
her hat.**

desinflado
flat

El neumático está
desinflado.

The tire is flat.

la pulga *Ver Los insectos (página 52).*
flea *See Insects (page 52).*

el suelo
floor

Hay un agujero
en el suelo.

**There is a hole
in the floor.**

la flor
flower

La flor está
creciendo.

**The flower is
growing.**

la flauta
flute

Roberto toca
la flauta.

**Robert plays
the flute.**

la mosca
Ver Los insectos (página 52).
fly
See Insects (page 52).

volar
to fly

La abeja quiere
volar.

**The bee wants
to fly.**

la niebla
fog

Él camina por
la niebla.

**He is walking in
the fog.**

la comida
food

Él come mucha
comida.

**He eats a lot
of food.**

el pie
Ver Las personas (página 76).
foot
See People (page 76).

para
for

Esto es para ti.

This is for you.

olvidar
to forget

¡Él no quiere olvidar
su almuerzo!

**He does not want
to forget his lunch!**

el tenedor
fork

Él come con un
tenedor.

**He eats with
a fork.**

cuarenta *Ver Los números y los colores (página 68).*

forty *See Numbers and Colors (page 68).*

cuatro *Ver Los números y los colores (página 68).*

four *See Numbers and Colors (page 68).*

catorce *Ver Los números y los colores (página 68).*

fourteen *See Numbers and Colors (page 68).*

el zorro *Ver Los animales (página 10).*

fox *See Animals (page 10).*

el viernes

Friday

El viernes vamos al parque.

On Friday, we go to the park.

el amigo
friend

Somos buenos amigos.

We are good friends.

la rana *Ver Los animales (página 10).*

frog *See Animals (page 10).*

frente
front

Ella se sienta en frente de él.

She sits in front of him.

la fruta
fruit

La fruta es deliciosa.

Fruit is delicious.

lleno
full

El carro está lleno de lagartijas.

The cart is full of lizards.

divertido
fun

Ella pasa un rato divertido.

She is having fun.

graciosa
funny

¡Qué cara tan graciosa!

What a funny face!

el juego
game

Jugamos el juego en
el parque.

**We play the game
in the park.**

el garaje

*Ver Los cuartos de una casa
(página 86).*

garage

See Rooms in a House (page 86).

el jardín
garden

En el jardín crecen
rosas.

**Roses are growing
in the garden.**

el portón
gate

El portón está abierto.

The gate is open.

agarrar
to get

Los ratones tratan de
agarrar el queso.

**The mice are
trying to get the
cheese.**

la jirafa

Ver Los animales (página 10).

giraffe

See Animals (page 10).

la niña
girl

La niña baila.

The girl is dancing.

dar
to give

Quiero darte un
regalo.

**I want to give you
a present.**

contenta
glad

Ella está contenta
de verte.

**She is glad to
see you.**

el vidrio
glass

Las ventanas están hechas de vidrio.

Windows are made of glass.

los anteojos
glasses

Esta lechuza lleva anteojos.

This owl wears glasses.

los guantes *Ver La ropa (página 24).*
gloves *See Clothing (page 24).*

ir
to go

Es hora de que vayas a tu cuarto.

It is time to go to your room.

la cabra *Ver Los animales (página 10).*
goat *See Animals (page 10).*

el golf *Ver Los juegos y los deportes (página 44).*
golf *See Games and Sports (page 44).*

bueno
good

¡Qué perro tan bueno!

What a good dog!

adiós
good-bye

¡Adiós!

Good-bye!

el ganso
goose

El ganso va en bicicleta.

A goose is riding a bicycle.

el gorila
gorilla

El gorila come
un plátano.

**The gorilla is eating
a banana.**

la abuela
grandmother

A mi abuela le gusta
hornear.

**My grandmother
likes to bake.**

agarrar
to grab

Ella quiere agarrar
los plátanos.

**She wants to grab
the bananas.**

el abuelito
grandpa

Mi abuelito es el papá
de mi mamá.

**Grandpa is my
mom's father.**

el abuelo
grandfather

Me divierto con
mi abuelo.

**I have fun with
my grandfather.**

la uva
grape

¡Trae las uvas!

Get the grapes!

el pasto
grass

Las vacas comen
pasto.

Cows eat grass.

la abuelita
grandma

Mi abuelita es la mamá
de mi papá.

**Grandma is my
dad's mother.**

el saltamontes *Ver Los insectos (página 52).*
grasshopper *See Insects (page 52).*

Games and Sports

el béisbol
baseball

el baloncesto
basketball

el golf
golf

el ping-pong
ping-pong

la carrera
running

los bolos
bowling

el patinaje sobre hielo
ice skating

el fútbol
soccer

el esquí
skiing

el tenis
tennis

el ciclismo
biking

la natación
swimming

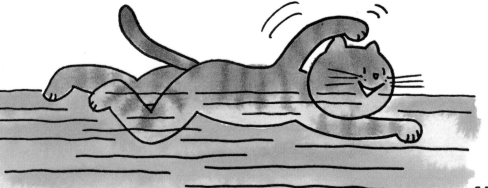

gris *Ver Los números y los colores (página 68).*
gray *See Numbers and Colors (page 68).*

fantástica
great

Es una fiesta fantástica.

It is a great party.

verde *Ver Los números y los colores (página 68).*
green *See Numbers and Colors (page 68).*

los comestibles
groceries

Se están cayendo
los comestibles.

**The groceries are
falling out.**

la tierra
ground

Ellos viven en la
tierra.

**They live in the
ground.**

el grupo
group

Éste es un grupo
de artistas.

**This is a group
of artists.**

crecer
to grow

Él quiere crecer.

He wants to grow.

adivinar
to guess

Es divertido adivinar
qué hay adentro.

**It is fun to guess
what is inside.**

la guitarra
guitar

Mi robot toca
la guitarra.

**My robot plays
the guitar.**

el cabello *Ver Las personas (página 76).*
hair *See People (page 76).*

la mitad
half

Falta la mitad de
la galletita.

**Half the cookie
is gone.**

el pasillo *Ver Los cuartos de una casa (página 86).*
hall *See Rooms in a House (page 86).*

el martillo
hammer

¡Golpea el clavo con
el martillo!

**Hit the nail with
the hammer!**

la hamaca
hammock

Papá duerme en
la hamaca.

**Dad is sleeping in
the hammock.**

la mano *Ver Las personas (página 76).*
hand *See People (page 76).*

feliz
happy

Ésta es una cara feliz.

This is a happy face.

dura
hard

La roca es dura.

The rock is hard.

el arpa
harp

Ella toca muy bien
el arpa.

**She plays the harp
very well.**

el sombrero *Ver La ropa (página 24).*
hat *See Clothing (page 24).*

tener
to have

Ella necesita tener
tres sombreros.

**She needs to have
three hats.**

él
he

Él está debajo de
la mesa.

**He is under
the table.**

la cabeza *Ver Las personas (página 76).*
head *See People (page 76).*

oír *Ver Las personas (página 76).*
to hear *See People (page 76).*

el corazón
heart

El corazón es rojo.

The heart is red.

el helicóptero *Ver Los medios de transporte (página 108).*
helicopter *See Transportation (page 108).*

hola
hello

Hola.
¿Cómo estás?

Hello.
How are you?

la ayuda
help

¡Necesito ayuda!

I need help!

su
her

Ésta es su cola.

This is her tail.

aquí
here

Yo vivo aquí.

I live here.

hola
hi

¡Hola!

Hi!

esconderse
to hide

Ella es demasiado
grande para esconderse
debajo de la caja.

She is too big
to hide under
the box.

alta
high

La estrella está alta
en el cielo.

The star is high
in the sky.

la colina
hill

Ella baja de la colina.

She is coming
down the hill.

el hipopótamo *Ver Los animales (página 10).*
hippopotamus *See Animals (page 10).*

pegarle
to hit

Él trata de pegarle a la pelota.

He tries to hit the ball.

sujetar
to hold

Él tiene que sujetar su mano ahora.

He has to hold her hand now.

el agujero
hole

Él cava un agujero.

He is digging a hole.

el hogar
home

Ella descansa en su hogar.

She is at home, relaxing.

hurrá
hooray

¡Vamos ganando! ¡Hurrá!

We are winning! Hooray!

saltar
to hop

Ellos saben saltar.

They know how to hop.

la corneta
horn

Él toca la corneta.

He plays the horn.

el caballo *Ver Los animales (página 10).*
horse *See Animals (page 10).*

el hospital
hospital

Los doctores trabajan en el hospital.

Doctors work at the hospital.

caliente
hot

El fuego es caliente.

Fire is hot.

el hotel
hotel

Él se hospeda en el hotel.

He is staying at the hotel.

la hora
hour

Falta una hora para las dos.

In an hour, it is going to be two o'clock.

la casa
house

La casa tiene muchas ventanas.

The house has many windows.

cómo
how

¿Cómo lo hace?

How does he do that?

el abrazo
hug

¡Dame un abrazo!

Give me a hug!

enorme
huge

¡Ese gato es enorme!

That cat is huge!

cien *Ver Los números y los colores (página 68).*

hundred *See Numbers and Colors (page 68).*

el hambre
hungry

Creo que tiene hambre.

I think he is hungry.

apurarse
to hurry

Ella tiene que apurarse.

She has to hurry.

doler
to hurt

No tiene que doler.

It does not have to hurt.

el esposo
husband

Él es su esposo.

He is her husband.

50

Yo
I

—¡Yo soy tan bonita!—
dice ella.

**"I am so cute!"
she says.**

el hielo
ice

Patinamos sobre hielo.

We skate on ice.

el helado
ice cream

A Clara le gusta el
helado.

**Clara likes ice
cream.**

la idea
idea

Ella tiene una idea.

She has an idea.

importante
important

Él se ve muy
importante.

**He looks very
important.**

en
in

¿Qué hay en
esa caja?

**What is in
that box?**

dentro
inside

Él está dentro de
la casa.

**He is inside the
house.**

adentro
into

¡No te metas adentro
de esa cueva!

**Do not go into that
cave!**

la isla
island

La cabra está en
una isla.

**The goat is on
an island.**

Los insectos

Insects

la mariposa
butterfly

la avispa
wasp

la mantis religiosa
mantis

la mosca
fly

la pulga
flea

el escarabajo
beetle

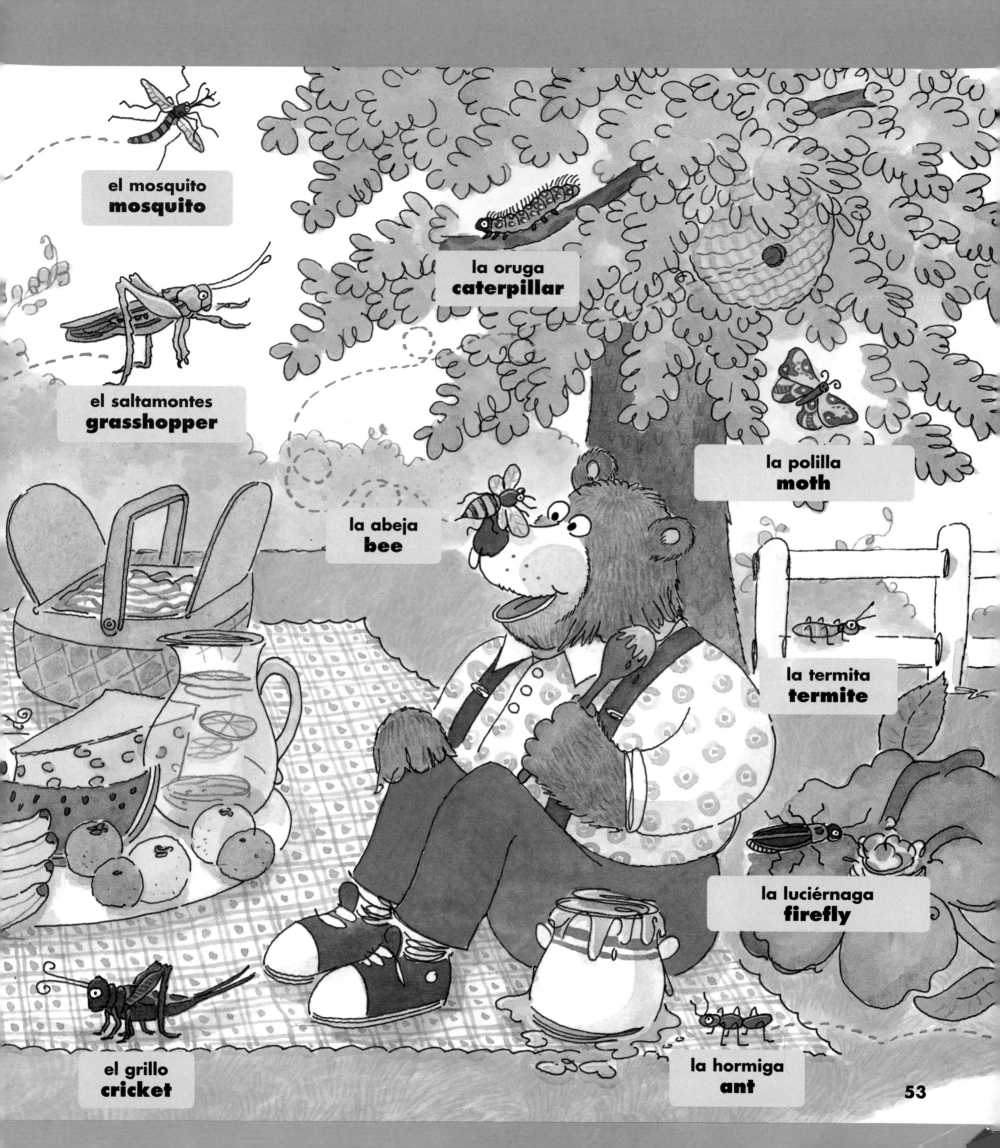

el mosquito **mosquito**

la oruga **caterpillar**

el saltamontes **grasshopper**

la polilla **moth**

la abeja **bee**

la termita **termite**

la luciérnaga **firefly**

el grillo **cricket**

la hormiga **ant**

53

la chaqueta *Ver La ropa (página 24).*
jacket *See Clothing (page 24).*

el jaguar *Ver Los animales (página 10).*
jaguar *See Animals (page 10).*

la mermelada
jam

¿Crees que a ella le gusta
el pan con mermelada?

**Do you think she
likes bread and jam?**

enero
January

Enero es el primer mes
del año.

**January is the first
month of the year.**

el pote
jar

La mermelada viene en
un pote.

Jam comes in a jar.

el trabajo
job

Es mucho trabajo.

It is a big job.

el jugo
juice

Ella vierte jugo de
naranja en un vaso.

**She is pouring a
glass of orange juice.**

julio
July

El mes que sigue a
junio es julio.

**The month after
June is July.**

saltar
to jump

Al animal le encanta
saltar.

**The animal loves
to jump.**

junio
June

El mes que sigue a
mayo es junio.

**The month after
May is June.**

los cachivaches
junk

A nadie le sirven estos
cachivaches.

**No one can use
this junk.**

el canguro *Ver Los animales (página 10).*
kangaroo *See Animals (page 10).*

quedar
to keep

Me quiero quedar con él.

I want to keep him.

la llave
key

¿Con qué llave se abre la cerradura?

Which key opens the lock?

patear
to kick

Él quiere patear la pelota.

He wants to kick the ball.

buena
kind

Ella es buena con los animales.

She is kind to animals.

el tipo
kind

¿Qué tipo de animal es ése?

What kind of animal is that?

el rey
king

El rey se divierte.

The king is having fun.

el beso
kiss

¿Te gustaría dar un beso al mono?

Would you like to give the monkey a kiss?

K

la cocina *Ver Los cuartos de una casa (página 86).*
kitchen *See Rooms in a House (page 86).*

la cometa
kite

Las cometas vuelan alto.

Kites can fly high.

el gatito
kitten

Un gatito es un gato bebé.

A kitten is a baby cat.

la rodilla *Ver Las personas (página 76).*
knee *See People (page 76).*

el cuchillo
knife

El cuchillo sirve para cortar.

A knife can cut things.

golpear
to knock

Él comienza a golpear la puerta.

He starts to knock on the door.

saber
to know

Él quiere saber qué dice.

He wants to know what it says.

la escalera
ladder

Él sube por la escalera.

He climbs the ladder.

el lago
lake

¡Se está bebiendo el lago!

He is drinking the lake!

la lámpara
lamp

Él tiene una lámpara sobre la cabeza.

He has a lamp on his head.

el regazo
lap

Él se sienta en el regazo de su abuelita para escuchar el cuento.

He sits on his grandma's lap to hear the story.

el último
last

El rosado es el último de la fila.

The pink one is last in line.

tarde
late

Es tarde por la noche.

It is late at night.

reírse
to laugh

Reírse es divertido.

It is fun to laugh.

el lavadero

Ver Los cuartos de una casa (página 86).

laundry room

See Rooms in a House (page 86).

perezoso
lazy

Es tan perezoso.

He is so lazy.

la hoja
leaf

El árbol tiene una hoja.

The tree has one leaf.

ir
to leave

Ella no se quiere ir.

She does not want to leave.

izquierda
left

Ésta es tu mano izquierda.

This is your left hand.

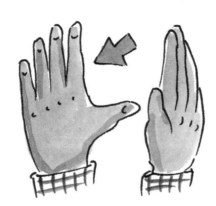

la pierna
leg
Ver Las personas (página 76).
See People (page 76).

el limón
lemon

A ella le gustan los limones.

She likes lemons.

el leopardo
leopard

A un leopardo se le están cayendo las manchas.

One leopard is losing its spots.

dejar
to let

Papá no lo va a dejar ir.

Papa is not going to let him go.

la carta
letter

Esta carta va por vía aérea.

This letter is going airmail.

la biblioteca
library

La biblioteca está llena de libros.

The library is full of books.

lamer
to lick

Tienes que lamerlo.

You have to lick it.

la vida
life

¡La vida es maravillosa!

Life is wonderful!

la luz
light

El sol nos da luz.

The sun gives us light.

el relámpago
lightning

¡Mira! ¡Hay relámpagos!

Look! There's lightning!

gustar
to like

Le va a gustar el pastel.

He is going to like the cake.

como
like

Ella es como una roca.

She looks like a rock.

la línea
line

Puedo trazar una línea.

I can draw a line.

el león   *Ver Los animales (página 10).*
lion   *See Animals (page 10).*

escuchar
to listen

Él no quiere escuchar música fuerte.

He does not want to listen to loud music.

pequeño
little

El insecto es pequeño.

The bug is little.

vivir
to live

¡Qué lindo lugar para vivir!

What a nice place to live!

la sala   *Ver Los cuartos de una casa (página 86).*
living room   *See Rooms in a House (page 86).*

la llama   *Ver Los animales (página 10).*
llama   *See Animals (page 10).*

cerrar con llave
to lock

No te olvides de cerrar con llave la puerta.

Do not forget to lock the door.

larga
long

Es una serpiente larga.

That is a long snake.

mirar
to look

Uso esto para mirar las estrellas.

I use this to look at stars.

perder
to lose

No quiere perder el sombrero.

He does not want to lose his hat.

perdido
lost

¡Oh, no! Está perdido.

Oh, no! He is lost.

muchas
lots

Hay muchas burbujas.

There are lots of bubbles.

fuerte
loud

¡La música está fuerte!

The music is loud!

encantar
to love

A ella le va a encantar el regalo.

She is going to love the present.

el amor
love

El amor es maravilloso.

Love is wonderful.

bajo
low

El puente es bajo.

The bridge is low.

el almuerzo
lunch

Él come nueces de almuerzo.

He has nuts for lunch.

enojadas
mad

Las ranas están enojadas.

The frogs are mad.

el correo
mail

Aquí está el correo.

The mail is here.

el buzón
mailbox

¿Qué hay en ese buzón?

What is in that mailbox?

el cartero
mail carrier

El cartero nos trae el correo.

Our mail carrier brings us the mail.

hacer
to make

Es fácil hacer un cinturón.

A belt is easy to make.

el hombre
man

El hombre agita la mano.

The man is waving.

el mango
mango

¿Va a comerse todo el mango?

Is he going to eat the whole mango?

la mantis religiosa *Ver Los insectos (página 52).*

mantis *See Insects (page 52).*

muchos
many

¡Hay muchos puntos!

There are too many dots!

el mapa
map

El mapa indica adónde ir.

The map shows where to go.

la maraca
maraca

¡Agita esas maracas!

Shake those maracas!

marzo
March

El mes que sigue a febrero es marzo.

The month after February is March.

las matemáticas
math

Él no es muy bueno en matemáticas.

He is not very good at math.

mayo
May

El mes que sigue a abril es mayo.

The month after April is May.

quizás
maybe

Quizás sea una pelota.

Maybe it is a ball.

el alcalde
mayor

El alcalde dirige el pueblo.

The mayor leads the town.

mí
me

¡Mírame a mí!

Look at me!

significar
to mean

Eso tiene que significar "hola".

That has to mean "hello."

la carne
meat

Voy a cenar carne, ensalada y papas.

I am eating meat, salad, and potatoes for dinner.

el remedio
medicine

¡Toma tu remedio!

Take your medicine!

conocer
to meet

Es un placer conocerte.

I am happy to meet you.

miau
meow

Los gatos dicen: ¡"MIAU"!

Cats say, "MEOW!"

el desorden
mess

¡Qué desorden!

What a mess!

desordenado
messy

El oso es un poco desordenado.

The bear is a little messy.

la leche
milk

Le gusta la leche.

He likes milk.

el minuto
minute

Falta un minuto para el mediodía.

It is one minute before noon.

el espejo
mirror

Le encanta mirarse al espejo.

He loves to look in the mirror.

perder
to miss

No quiere perder el avión.

He does not want to miss the airplane.

los mitones
mittens

Ver La ropa (página 24).
See Clothing (page 24).

mezclar
to mix

Usa la cuchara para mezclar todo.

Use the spoon to mix it.

63

la mamá
mom

Ella es la mamá del bebé.

She is the baby's mom.

lunes
Monday

Nos bañamos los lunes.

On Monday, we take baths.

el dinero
money

¡Miren cuánto dinero!

Look at all the money!

el mono   *Ver Los animales (página 10).*
monkey   *See Animals (page 10).*

el mes
month

Enero y febrero son los dos primeros meses del año.

January and February are the first two months of the year.

la luna
moon

La luna está en el cielo.

The moon is up in the sky.

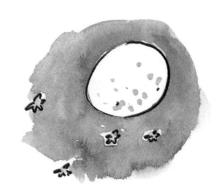

más
more

Ella necesita comprar más jugo.

She needs to buy more juice.

la mañana
morning

El sol sale por la mañana.

The sun comes up in the morning.

el mosquito   *Ver Los insectos (página 52).*
mosquito   *See Insects (page 52).*

casi toda
most

Se acabó casi toda la leche.

Most of the milk is gone.

la polilla   *Ver Los insectos (página 52).*
moth   *See Insects (page 52).*

la madre
mother

Ella es la madre del bebé.

She is the baby's mother.

la motocicleta *Ver Los medios de transporte (página 108).*

motorcycle *See Transportation (page 108).*

la montaña
mountain

Escala la montaña.

He is climbing up the mountain.

el ratón
mouse

El ratón está patinando.

The mouse is skating.

la boca *Ver Las personas (página 76).*
mouth *See People (page 76).*

mudarse
to move

Tienen que mudarse.

They have to move.

la película
movie

Ellos miran una película.

They are watching a movie.

Sr.
Mr.

Saluda al Sr. Green.

Say hello to Mr. Green.

Sra.
Mrs.

La Sra. English sube al autobús.

Mrs. English is getting on the bus.

mucho
much

No hay mucho en la nevera.

There is not much in the refrigerator.

la música
music

Ellos saben tocar música.

They can play music.

mi
my

Ésta es mi nariz.

This is my nose.

el clavo
nail

¡Trata de darle
al clavo!

Try to hit the nail!

el nombre
name

Su nombre comienza
con "R".

**His name begins
with "R".**

el cuello *Ver Las personas (página 76).*
neck *See People (page 76).*

el collar
necklace

A ella le encanta
su collar.

**She loves her
necklace.**

necesitar
to need

Él va a necesitar un
bocadillo más tarde.

**He is going to need
a snack later.**

el vecino
neighbor

Ellos son vecinos.

They are neighbors.

el nido
nest

Las aves están cerca
de su nido.

**The birds are near
their nest.**

nunca
never

Ella no va a volar nunca.

**She is never going
to fly.**

nuevo
new

Él tiene un paraguas
nuevo.

**He has a new
umbrella.**

el periódico
newspaper

¿Quién me corta el
periódico?

**Who is cutting my
newspaper?**

al lado
next

Ella está al lado de
la roca.

**She is next to
the rock.**

el siguiente
next

El caballo es
el siguiente.

The horse is next.

lindo
nice

¡Qué payaso tan lindo!

What a nice clown!

la noche
night

De noche todo está
oscuro.

It is dark at night.

nueve *Ver Los números y los colores (página 68).*
nine *See Numbers and Colors (page 68).*

diecinueve
*Ver Los números y los colores
(página 68).*

nineteen
See Numbers and Colors (page 68).

noventa
*Ver Los números y los colores
(página 68).*

ninety
See Numbers and Colors (page 68).

no
no

No, no puedes ir.

No, you may not go.

el ruido
noise

Él hace un ruido
terrible.

**He is making a
terrible noise.**

ruidosos
noisy

Ellos son muy ruidosos.

They are very noisy.

el mediodía
noon

Es mediodía.

It is noon.

Los números y los colores

Numbers and Colors

 0 cero zero

 1 uno one

 **2** dos two

 **3** tres three

 **4** cuatro four

 **5** cinco five

6 seis six

 **7** siete seven

 **8** ocho eight

 **9** nueve nine

 **10** diez ten

 **11** once eleven

 **12** doce twelve

 **13** trece thirteen

 **14** catorce fourteen

 **15** quince fifteen

 **16** dieciséis sixteen

 **17** diecisiete seventeen

 **18** dieciocho eighteen

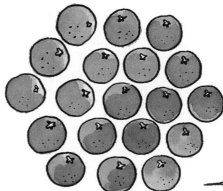 **19** diecinueve nineteen

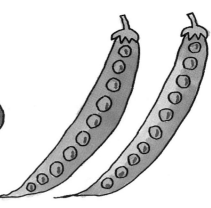 **20** veinte twenty

 **30** treinta thirty

 **40** cuarenta forty

 **50** cincuenta fifty

 **60** sesenta sixty

 **70** setenta seventy

 **80** ochenta eighty

 **90** noventa ninety

 **100** cien one hundred

 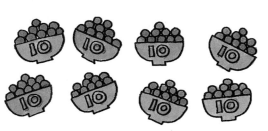 **1000** mil one thousand

• •

Los colores

Colors

negro black

azul blue

marrón brown

gris gray

verde green

anaranjado orange

rosado pink

morado purple

rojo red

canela tan

blanco white

amarillo yellow

69

el norte
north

En el norte hace frío.

It is cold in the north.

la nariz *Ver Las personas (página 76).*
nose *See People (page 76).*

no
not

El ave no es roja.

The bird is not red.

la nota
note

Él escribe una nota.

He is writing a note.

nada
nothing

No hay nada en la botella.

There is nothing in the bottle.

noviembre
November

El mes que sigue a octubre es noviembre.

The month after October is November.

ahora
now

El ratón necesita correr ahora.

The mouse needs to run now.

el número
number

Hay cinco números.

There are five numbers.

la enfermera
nurse

Ella quiere ser enfermera.

She wants to be a nurse.

la nuez
nut

Creo que le gustan las nueces.

I think he likes nuts.

el mar
ocean

Esta tortuga nada en el mar.

This turtle swims in the ocean.

en punto
o'clock

Es la una en punto.

It is one o'clock.

octubre
October

El mes que sigue a septiembre es octubre.

The month after September is October.

de
of

El color del avión es amarillo.

The color of the airplane is yellow.

la oficina
office

Ver Los cuartos de una casa (página 86).

See Rooms in a House (page 86).

oh
oh

¡Oh! ¡Qué sorpresa!

Oh! What a surprise!

viejo
old

El caimán es muy viejo.

The alligator is very old.

sobre
on

El abrigo está sobre la silla.

The coat is on the chair.

una vez
once

Los cumpleaños son
una vez al año.

**Birthdays come
once a year.**

uno *Ver Los números y los colores (página 68).*
one *See Numbers and Colors (page 68).*

la cebolla
onion

Él corta una cebolla.

**He is chopping
an onion.**

la única
only

Ésta es la única
comida que queda.

**This is the only
food left.**

abierta
open

La ventana está abierta.

The window is open.

o
or

¿Quieres el rojo o
el azul?

**Do you want the
red one or the
blue one?**

anaranjado *Ver Los números y los colores
(página 68).*
orange *See Numbers and Colors (page 68).*

la naranja
orange

Él exprime naranjas.

**He is squeezing
oranges.**

el avestruz
ostrich

Un avestruz corre
rápidamente.

**An ostrich can
run fast.**

otro
other

¿Qué hay al otro lado?

What is on the other side?

ay
ouch

¡Ay! ¡Cómo duele!

Ouch! That hurts!

afuera
out

Él sale afuera.

He goes out.

al aire libre
outdoors

Nos gusta jugar al aire libre.

We like to play outdoors.

el horno
oven

Ponemos las galletitas al horno.

We bake cookies in an oven.

encima
over

Ella lleva el paraguas abierto encima de la cabeza.

She is holding the umbrella over her head.

la lechuza
owl

La lechuza no duerme por la noche.

The owl does not sleep at night.

tener
to own

Tener un libro es maravilloso.

It is wonderful to own a book.

P

la página
page

Vuelve la página.

He is turning the page.

la pintura
paint

El bebé juega con la pintura.

The baby is playing with paint.

el pintor
painter

Él es pintor.

He is a painter.

el pijama
pajamas

Ella duerme con pijama.

She is wearing pajamas to sleep.

la olla
pan

Cocinamos en una olla.

We cook in a pan.

el panda
panda

Este panda tiene hambre.

This panda is hungry.

los pantalones   *Ver La ropa (página 24).*
pants   *See Clothing (page 24).*

el papel
paper

¡Escribe en el papel!

Write on the paper!

el padre
parent

Estos padres tienen muchos bebés.

These parents have many babies.

el parque
park

Nos gusta ir al parque.

We like to go to the park.

el loro
parrot

¡Este loro sabe decir "galletita"!

This parrot can say, "Cracker!"

la parte
part

Una rueda es parte del automóvil.

A wheel is part of the car.

la fiesta
party

Las hormigas están de fiesta.

The ants are having a party.

acariciar
to pat

El bebé trata de acariciar al perro.

The baby tries to pat the dog.

la pata
paw

Él quiere dar la pata.

He wants to shake paws.

el guisante
pea

A él no le gusta comer guisantes.

He does not like to eat peas.

el melocotón
peach

Los melocotones crecen en árboles.

Peaches grow on trees.

la pluma
pen

La pluma pierde tinta.

The pen is leaking.

el lápiz
pencil

Un lápiz sirve para dibujar.

A pencil is for drawing.

People • Your Body

la cabeza
head

la cara
face

el estómago
stomach

la rodilla
knee

el pie
foot

la pierna
leg

el ojo
eye

el pulgar
thumb

el cabello
hair

el cuello
neck

el brazo
arm

el dedo
finger

la mano
hand

la oreja
ear

el diente
tooth

mirar
to see

la nariz
nose

tocar
to touch

la boca
mouth

el dedo del pie
toe

oír
to hear

oler
to smell

probar
to taste

77

el pingüino
penguin

Hay un pingüino en tu lavamanos.

There is a penguin in your sink.

la gente
people

Esta gente sube.

These people are going up.

la pimienta
pepper

Ella usa demasiada pimienta.

She is using too much pepper.

los pimientos
peppers

Los pimientos son sabrosos.

Peppers are good to eat.

el perfume
perfume

Ella lleva perfume.

She is wearing perfume.

la mascota
pet

Este cerdo es una mascota.

This pig is a pet.

la fotografía
photograph

¡Mira la fotografía!

Look at the photograph!

el piano
piano

Él toca el piano muy bien.

He plays the piano very well.

recoger
to pick

A este perro le gusta recoger bayas.

This dog likes to pick berries.

la comida campestre
picnic

Ellos tienen una comida campestre.

They are having a picnic.

el dibujo
picture

Ésta es el dibujo de
un conejo.

**This is a picture
of a rabbit.**

la tarta
pie

¿Quién come la tarta?

**Who is eating
the pie?**

el cerdo
pig

Ver Los animales (página 10).

See Animals (page 10).

la almohada
pillow

Una almohada sirve
para dormir.

**A pillow is for
sleeping.**

el ping-pong
ping-pong

*Ver Los juegos y los deportes
(página 44).*

See Games and Sports (page 44).

rosado
pink

Ver Los números y los colores (página 68).

See Numbers and Colors (page 68).

la pizza
pizza

Nos gusta comer pizza.

**We like to eat
pizza.**

poner
to place

Está bien poner los
anteojos sobre la nariz.

**It is good to place
glasses on the nose.**

planear
to plan

Es mejor planear con
anticipación.

**It helps to plan
ahead.**

plantar
to plant

A él le gusta plantar
nueces.

**He likes to plant
nuts.**

jugar
to play

¿Quieres jugar con
nosotras?

**Do you want to
play with us?**

el parque de recreo
playground

¡Espérame en el parque de recreo!

Meet me at the playground!

el cuarto de los juguetes
Ver Los cuartos de una casa (página 86).

playroom
See Rooms in a House (page 86).

por favor
please

¡Por favor, denme de comer!

Please, feed me!

el bolsillo
pocket

¿Qué tiene en el bolsillo?

What is in his pocket?

la punta
point

Tiene una punta aguda. ¡Ay!

It has a sharp point. Ouch!

señalar
to point

Señalar no es cortés.

It is not polite to point.

la agente de policía
police officer

La agente de policía nos ayuda a cruzar la calle.

The police officer helps us cross the street.

el cuartel de policía
police station

En el cuartel de policía consigues ayuda.

You can get help at the police station.

amable
polite

¡Él es tan amable!

He is so polite!

el estanque
pond

Ella se cae al estanque.

She falls into the pond.

pobre
poor

Este pobre mono no tiene mucho dinero.

This poor monkey does not have much money.

el porche
porch

Ver Los cuartos de una casa (página 86).
See Rooms in a House (page 86).

el correo
post office

Las cartas van al correo.

Letters go to the post office.

la olla
pot

Es hora de revolver lo que hay en la olla.

It is time to stir the pot.

la papa
potato

Estas papas tienen ojos.

These potatoes have eyes.

clavar
to pound

Usa un martillo para clavar un clavo.

Use a hammer to pound a nail.

el regalo
present

¿Es para mí el regalo?

Is the present for me?

bonita
pretty

No es una cara bonita.

It is not a pretty face.

el príncipe
prince

El príncipe está con su padre.

The prince is with his father.

la princesa
princess

Esta princesa tiene pies grandes.

This princess has big feet.

el premio
prize

Miren quién gana
el premio.

**Look who wins
the prize.**

orgullosa
proud

Ella está orgullosa de
su sombrero nuevo.

**She is proud of her
new hat.**

jalar
to pull

Estamos tratando
de jalarlo.

**We're trying to
pull him up.**

el cachorro
puppy

El cachorro está mojado.

The puppy is wet.

morado
purple

Ver Los números y los colores (página 68).
See Numbers and Colors (page 68).

la cartera
purse

La cartera
está llena.

The purse is full.

empujar
to push

Él necesita empujar
mucho.

**He needs to push
hard.**

ponerse
to put

Le dijimos que no
se pusiera la pata en
la boca.

**We told her not to
put her foot in her
mouth.**

el rompecabezas
puzzle

¿Puedes armar el
rompecabezas?

**Can you put the
puzzle together?**

cua
quack

—¡Cua, cua, cua!— cantan los patos.

"Quack, quack, quack!" sing the ducks.

rápido
quick

Un conejo es rápido; una tortuga es lenta.

A rabbit is quick; a tortoise is slow.

discutir
to quarrel

No nos gusta discutir.

We do not like to quarrel.

el silencio
quiet

¡Chito! ¡Silencio!

Shh! Be quiet!

el cuarto
quarter

Falta un cuarto de la tarta.

A quarter of the pie is gone.

el edredón
quilt

¿Quién está debajo del edredón?

Who is under the quilt?

la reina
queen

Ella es la reina de las cebras.

She is queen of the zebras.

dejar
to quit

El mapache quiere dejar de practicar.

The raccoon wants to quit practicing.

la pregunta
question

Ella quiere hacer una pregunta.

She has a question.

bastante
quite

Hoy hace bastante frío.

It is quite cold today.

R

el conejo *Ver Los animales (página 10).*
rabbit *See Animals (page 10).*

la carrera
race

¿Quién va a ganar
la carrera?

**Who is going to
win the race?**

la radio
radio

Ellos escuchan la radio.

**They listen to the
radio.**

la lluvia
rain

A ella le gusta la lluvia.

She likes the rain.

el arco iris
rainbow

Ella está bajo un
arco iris.

**She is standing in
a rainbow.**

el impermeable *Ver La ropa (página 24).*
raincoat *See Clothing (page 24).*

la gota de lluvia
raindrop

Mira las gotas de lluvia.

**Look at the
raindrops.**

llueve
raining

Él está mojado porque
llueve.

**He is wet because
it is raining.**

leer
to read

¿Sabe leer?

**Does he know
how to read?**

lista
ready

La bebé no está lista
para ir.

**The baby is not
ready to go.**

verdadero
real

No es un perro verdadero.

It is not a real dog.

verdaderamente
really

¡Ella es verdaderamente alta!

She is really tall!

rojo
red

Ver Los números y los colores (página 68).

See Numbers and Colors (page 68).

la nevera
refrigerator

Guardamos las bolas de nieve en la nevera.

We keep our snowballs in the refrigerator.

recordar
to remember

Es difícil recordar su número de teléfono.

It is hard to remember his phone number.

el restaurante
restaurant

Ella come en un restaurante.

She is eating at a restaurant.

el arroz
rice

¿Dónde está todo el arroz?

Where is all the rice?

rico
rich

Él es muy rico.

He is very rich.

montar
to ride

Es divertido montar a caballo.

It is fun to ride on a horse.

derecha
right

Ésta es tu mano derecha.

This is your right hand.

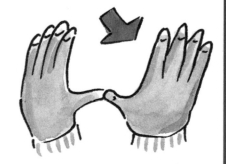

Los cuartos de una casa

Rooms in a House

el ático
attic

la terraza
deck

el dormitorio
bedroom

el baño
bathroom

la cocina
kitchen

el comedor
dining room

el garaje
garage

el cuarto de juegos
playroom

el armario
closet

el dormitorio
bedroom

la oficina
office

la sala
living room

el pasillo
hall

el porche
porch

el sótano
basement

el lavadero
laundry room

el anillo
ring

Ella tiene un anillo nuevo.

She has a new ring.

el robot
robot

¡Hay un robot en
mi ventana!

**A robot is looking
in my window!**

sonar
to ring

El teléfono va a
sonar pronto.

**The telephone is
going to ring soon.**

la roca
rock

¿Qué anda alrededor
de la roca?

**What is going
around the rock?**

el río
river

Yo floto en el río.

**I am floating down
the river.**

el techo
roof

Hay una vaca en
el techo.

**There is a cow on
the roof.**

el camino
road

El camino atraviesa
la colina.

**The road goes over
the hill.**

el cuarto
room

La casita tiene cuartos
pequeños.

**The little house has
little rooms.**

el gallo *Ver Los animales (página 10).*
rooster *See Animals (page 10).*

la raíz
root

La planta tiene raíces profundas.

The plant has deep roots.

la rosa
rose

A ella le gustan las rosas.

She likes roses.

redonda
round

Estas cosas son redondas.

These things are round.

frotar
to rub

Es divertido frotar su barriguita.

It is fun to rub his tummy.

la alfombra
rug

Hay un insecto en la alfombra.

A bug is on the rug.

correr
to run

¡Se necesitan pies para correr!

You need feet to run!

la carrera *Ver Los juegos y los deportes (página 44).*
running *See Games and Sports (page 44).*

S

triste
sad

Ésta es una
cara triste.

This is a sad face.

el velero *Ver Los medios de transporte*
(página 108).

sailboat *See Transportation (page 108).*

la ensalada
salad

Él prepara una ensalada.

**He is making a
salad.**

la sal
salt

Ella está usando
demasiada sal.

**She is using too
much salt.**

iguales
same

Parecen iguales.

**They look the
same.**

la arena
sand

Hay mucha arena
en la playa.

**There is so much
sand at the beach.**

el emparedado
sandwich

¡Es un emparedado de
encurtidos! ¡Qué rico!

**It's a pickle
sandwich! Yum!**

arenosa
sandy

La playa es arenosa.

The beach is sandy.

sábado
Saturday

El sábado trabajamos
juntos.

**On Saturday, we
work together.**

la salchicha
sausage

A este perro le gustan
las salchichas.

**This dog likes
sausages.**

la sierra
saw

La sierra sirve
para cortar.

**A saw is for
cutting.**

decir
to say

Ella quiere decir
"¡buenos días!".

**She wants to
say hello.**

la bufanda   *Ver La ropa (página 24).*
scarf   *See Clothing (page 24).*

la escuela
school

Él aprende en
la escuela.

**He can learn
in school.**

las tijeras
scissors

Mira lo que corta con
las tijeras.

**Look what he is
cutting with
the scissors.**

fregar
to scrub

Quiere fregar
la bañera.

**He wants to scrub
the tub.**

el mar
sea

Las ballenas viven
en el mar.

**Whales live in
the sea.**

el asiento
seat

El asiento está
demasiado alto.

**The seat is too
high.**

el secreto
secret

Ella cuenta un secreto.

**She is telling
a secret.**

ver   *Ver Las personas (página 76).*
to see   *See People (page 76).*

la semilla
seed

Cuando plantas una
semilla, ésta crece.

**When you plant
a seed, it grows.**

vender
to sell

Tiene muchos globos
para vender.

**He has many
balloons to sell.**

enviar
to send

Mamá tiene que enviar
una carta por correo.

**Mom has to send
a letter in the mail.**

septiembre
September

El mes que sigue a
agosto es septiembre.

**The month after
August is September.**

siete *Ver Los números y los colores (página 68).*
seven *See Numbers and Colors (page 68).*

diecisiete *Ver Los números y los colores
(página 68).*

seventeen *See Numbers and Colors
(page 68).*

setenta *Ver Los números y los colores (página 68).*
seventy *See Numbers and Colors (page 68).*

el tiburón
shark

Un tiburón tiene
muchos dientes.

**A shark has
many teeth.**

el chal *Ver La ropa (página 24).*
shawl *See Clothing (page 24).*

ella
she

Ella se esconde.

She is hiding.

la oveja *Ver Los animales (página 10).*
sheep *See Animals (page 10).*

la camisa *Ver La ropa (página 24).*
shirt *See Clothing (page 24).*

los zapatos *Ver La ropa (página 24).*
shoes *See Clothing (page 24).*

comprar
to shop

A él le gusta comprar.

He likes to shop.

bajo
short

Él es demasiado bajo.

He is too short.

gritar
to shout

Ellos tienen que gritar.

They have to shout.

la pala
shovel

Necesita una pala más grande.

She needs a bigger shovel.

la actuación
show

Ellos tienen una actuación.

They are in a show.

mostrar
to show

¡Abre la boca para mostrar tu diente nuevo!

Open wide to show your new tooth!

tímido
shy

Él es muy tímido.

He is very shy.

enfermo
sick

¡El pobre rinoceronte está enfermo!

The poor rhinoceros is sick!

el lado
side

El árbol está a un lado de la casa.

The tree is on the side of the house.

la acera
sidewalk

Están jugando en la acera.

They are playing on the sidewalk.

el letrero
sign

Éste es el letrero de la panadería.

This is the bakery's sign.

tonta
silly

Él tiene una risa tonta.

He has a silly smile.

cantar
to sing

A ella le encanta cantar.

She loves to sing.

la hermana
sister

Son hermanas.

They are sisters.

sentarse
to sit

Quieren sentarse.

They want to sit.

seis *Ver Los números y los colores (página 68).*
six *See Numbers and Colors (page 68).*

dieciséis *Ver Los números y los colores (página 68).*
sixteen *See Numbers and Colors (page 68).*

sesenta *Ver Los números y los colores (página 68).*
sixty *See Numbers and Colors (page 68).*

el monopatín *Ver Los medios de transporte (página 108).*
skateboard *See Transportation (page 108).*

los patines *Ver Los medios de transporte (página 108).*
skates *See Transportation (page 108).*

el patinaje sobre hielo *Ver Los juegos y los deportes (página 44).*
skating (ice) *See Games and Sports (page 44).*

el esquí *Ver Los juegos y los deportes (página 44).*
skiing *See Games and Sports (page 44).*

la falda *Ver La ropa (página 24).*
skirt *See Clothing (page 24).*

el cielo
sky

El cielo está lleno de estrellas.

The sky is full of stars.

dormir
to sleep

Está listo para dormir.

He is ready to sleep.

lenta
slow

Un conejo es rápido;
una tortuga es lenta.

**A rabbit is quick;
a tortoise is slow.**

pequeña
small

Una hormiga
es pequeña.

An ant is small.

oler *Ver Las personas (página 76).*
to smell *See People (page 76).*

la sonrisa
smile

¡Qué gran sonrisa!

What a big smile!

el humo
smoke

¡Cuidado con el humo!

**Watch out for
the smoke!**

el caracol
snail

Tiene un caracol en
la nariz.

**He has a snail on
his nose.**

la serpiente *Ver Los animales (página 10).*
snake *See Animals (page 10).*

las zapatillas *Ver La ropa (página 24).*
sneakers *See Clothing (page 24).*

roncar
to snore

Intenta no roncar.

Try not to snore.

la nieve
snow

La nieve es blanca
y fría.

**Snow is white
and cold.**

la bola de nieve
snowball

Lanza bolas de nieve.

**He is throwing
snowballs.**

tan
so

¡Ella es tan alta!

She is so tall!

el jabón
soap

Se lava con jabón.

He is using soap to wash.

el fútbol
Ver Los juegos y los deportes (página 44).
soccer
See Games and Sports (page 44).

los calcetines
Ver La ropa (página 24).
socks
See Clothing (page 24).

el sofá
sofa

Las cebras están sentadas en el sofá.

The zebras are sitting on the sofa.

algunas
some

Algunas son rosadas.

Some of them are pink.

algún día
someday

Papá dice que puedo manejar . . . algún día.

Dad says I can drive . . . someday.

alguien
someone

Hay alguien detrás de la cerca.

Someone is behind the fence.

algo
something

Hay algo bajo la alfombra.

Something is under the rug.

la canción
song

Una canción es para cantar.

A song is for singing.

pronto
soon

Pronto va a ser mediodía.

Soon it is going to be noon.

arrepentida
sorry

Está arrepentida
de haberla tirado.

**She is sorry she
dropped it.**

la sopa
soup

¡La sopa está caliente!

The soup is hot!

el sur
south

En el sur hace calor.

**It is warm in the
south.**

especial
special

Éste es un automóvil
especial.

**This is a special
car.**

la araña
spider

Esta araña es amistosa.

**This spider is
friendly.**

la cuchara
spoon

Una cuchara no puede
correr, ¿verdad?

**A spoon can't run;
can it?**

la primavera
spring

Las flores crecen en
primavera.

**Flowers grow in
spring.**

el cuadrado
square

Un cuadrado tiene
cuatro lados.

**A square has
four sides.**

la ardilla
squirrel

¡Hay una ardilla
en ese sombrero!

**There is a squirrel
on that hat!**

la estampilla
stamp

Una estampilla va
en una carta.

**A stamp goes
on a letter.**

estar de pie
to stand

A ella no le gusta
estar de pie.

**She does not like
to stand.**

la estrella
star

Esa estrella titila.

**That star is
winking.**

comenzar
to start

Quieren comenzar
con la *A*.

**They want to start
with *A*.**

quedarse
to stay

Tiene que
quedarse dentro.

**He has to
stay inside.**

pisar
to step

Intenta no pisar
el charco.

**Try not to step in
the puddle.**

el palo
stick

El perro quiere
el palo.

**The dog wants
the stick.**

pegajoso
sticky

Ese dulce es pegajoso.

That candy is sticky.

aún
still

El teléfono aún
no suena.

**The phone still is
not ringing.**

el estómago   *Ver Las personas (página 76).*
stomach   *See People (page 76).*

detenerse
to stop

Tienes que detenerte
con la luz roja.

**You have to stop
for a red light.**

la tienda
store

Ella compra libros
en la tienda.

**She buys books
at the store.**

la tormenta
storm

No le gusta
la tormenta.

**She does not like
the storm.**

el cuento
story

Todos conocemos
este cuento.

**We all know
this story.**

extraño
strange

Éste es un animal
extraño.

**This is a strange
animal.**

la fresa
strawberry

¡Esta fresa es grande!

**This strawberry
is big!**

la calle
street

¡Hay una elefanta en
la calle!

**There is an elephant
in the street!**

el estudiante
student

Todos los estudiantes
son peces.

**The students are
all fish.**

el tren subterráneo
*Ver Los medios de
transporte (página 108).*

subway
See Transportation (page 108).

de pronto
suddenly

De pronto, llueve.

**Suddenly, it is
raining.**

el traje
suit

Algo se derrama
sobre su traje.

**Something is
spilling on his suit.**

la maleta
suitcase

¿Qué hay en esa
maleta?

**What is in that
suitcase?**

el verano
summer

En verano hace calor.

**It is warm
in summer.**

el sol
sun

El sol es caliente.

The sun is hot.

domingo
Sunday

El domingo cenamos
con la abuelita.

**On Sunday,
we eat dinner
with Grandma.**

el girasol
sunflower

El girasol es grande
y amarillo.

**The sunflower is
big and yellow.**

soleados
sunny

Le encantan los
días soleados.

**She loves
sunny days.**

segura
sure

Estoy segura de que
la puerta no se va
a abrir.

**I am sure the
door is not going
to open.**

sorprendida
surprised

Ella está sorprendida.

She is surprised.

el suéter   *Ver La ropa (página 24).*
sweater   *See Clothing (page 24).*

nadar
to swim

Al pez le gusta nadar.

**The fish likes
to swim.**

la natación   *Ver Los juegos y los deportes
    (página 44).*

swimming   *See Games and Sports (page 44).*

la mesa
table

Hay un pollo sobre la mesa.

There is a chicken on the table.

el rabo
tail

Tiene un rabo largo.

He has a long tail.

llevar
to take

Va a llevar la maleta.

He is going to take the suitcase with him.

hablar
to talk

Les gusta hablar por teléfono.

They like to talk on the phone.

alto
tall

El rojo es muy alto.

The red one is very tall.

la pandereta
tambourine

¡Agita esa pandereta!

Shake that tambourine!

canela
tan *Ver Los números y los colores (página 68).*
See Numbers and Colors (page 68).

probar
to taste *Ver Las personas (página 76).*
See People (page 76).

el taxi
taxi *Ver Los medios de transporte (página 108).*
See Transportation (page 108).

la maestra
teacher

Nuestra maestra nos ayuda a aprender.

Our teacher helps us to learn.

la lágrima
tear

Tiene una lágrima en la mejilla.

There is a tear on her cheek.

el teléfono
telephone

Te pueden llamar
por teléfono.

**People can call
you on the
telephone.**

la tienda
de campaña
tent

¿Qué hay dentro de la
tienda de campaña?

**What is inside
the tent?**

la termita   *Ver Los insectos (página 52).*
termite   *See Insects (page 52).*

la televisión
television

A mi pez de colores
le gusta mirar
la televisión.

**My goldfish likes
to watch television.**

terrible
terrible

¡Qué terrible
desorden!

**What a terrible
mess!**

decir
to tell

Mamá le tiene que
decir la palabra.

**Mom has to tell
her the word.**

agradecer
to thank

Quiere agradecer
al bombero.

**He wants to thank
the firefighter.**

diez   *Ver Los números y los colores (página 68).*
ten   *See Numbers and Colors (page 68).*

el tenis   *Ver Los juegos y los deportes (página 44).*
tennis   *See Games and Sports (page 44).*

eso
that

¿Qué es eso?

What is that?

el, la, los, las
the

La manzana,
el plátano y las
peras se escapan.

**The apple, the banana,
and the pears are
running away.**

sus
their

Ellos señalan sus
maletas.

**They are pointing
to their suitcases.**

les
them

Los zapatos les
pertenecen.

**The shoes belong
to them.**

luego
then

Ve a la cama.
Luego, duérmete.

**Get into bed.
Then sleep.**

allí
there

¡Allí está!

There she is!

estos
these

Nadie quiere
estos huevos.

**No one wants
these eggs.**

ellos
they

¿Ves los ratones?
Ellos están bailando.

**See the mice?
They are dancing.**

delgado
thin

Uno de los payasos
es delgado.

**One clown
is thin.**

la cosa
thing

¿Qué es esta cosa?

What is this thing?

pensar
to think

Usamos el cerebro
para pensar.

**We use our brain
to think.**

tener sed
to be thirsty

Tiene sed.

He is thirsty.

trece   *Ver Los números y los colores (página 68).*
thirteen   *See Numbers and Colors (page 68).*

treinta   *Ver Los números y los colores (página 68).*
thirty   *See Numbers and Colors (page 68).*

este
this

Este bebé está triste.

This baby is sad.

esos
those

Esos bebés están
contentos.

**Those babies
are happy.**

mil   *Ver Los números y los colores (página 68).*
thousand   *See Numbers and Colors (page 68).*

tres   *Ver Los números y los colores (página 68).*
three   *See Numbers and Colors (page 68).*

por
through

La pelota entra
por la ventana.

**The ball is
coming through
the window.**

lanzar
to throw

A nosotros nos gusta
lanzar la pelota.

**We like to throw
the ball.**

el pulgar   *Ver Las personas (página 76).*
thumb   *See People (page 76).*

el trueno
thunder

El trueno es ruidoso.

Thunder is loud.

jueves
Thursday

El jueves lavamos
la ropa.

**On Thursday, we
wash clothes.**

la corbata *Ver La ropa (página 24).*
tie *See Clothing (page 24).*

atar
to tie

¿Va a atarse los
cordones?

**Is he going to tie
his shoelaces?**

el tigre
tiger

Éste es un tigre.

This is a tiger.

la hora
time

Es hora de lavar
los platos.

**It is time to wash
the dishes.**

el neumático
tire

Un neumático está
desinflado.

One tire is flat.

cansada
tired

Ella está cansada.

She is tired.

a
to

Va a la escuela.

**He is going to
school.**

hoy
today

Hoy es su cumpleaños.

**Today is her
birthday.**

el dedo del pie *Ver Las personas (página 76).*
toe *See People (page 76).*

T

juntos
together

Ellos se sientan juntos.

They are sitting together.

también
too

El bebé también canta.

The baby is singing, too.

el diente *Ver Las personas (página 76).*
tooth *See People (page 76).*

el tomate
tomato

¡Qué rico! Es un tomate grande y jugoso.

Mmm! It is a big, juicy tomato.

el cepillo de dientes
toothbrush

Mi cepillo de dientes es rojo.

My toothbrush is red.

mañana
tomorrow

Mañana es otro día.

Tomorrow is another day.

encima
top

El ave está encima.

The bird is on top.

tocar *Ver Las personas (página 76).*
to touch *See People (page 76).*

esta noche
tonight

Tiene sueño esta noche.

He is sleepy tonight.

la toalla
towel

Necesita una toalla.

He needs a towel.

la ciudad
town

La hormiga vive en una ciudad.

The ant lives in a town.

el juguete
toy

Tiene todo tipo de juguetes.

He has all kinds of toys.

la huella
track

Ésa es la huella de un conejo.

That is a rabbit track.

el tren
train

Ver Los medios de transporte (página 108).
See Transportation (page 108).

la delicia
treat

Un hueso es una delicia.

A bone is a treat.

el árbol
tree

Hay una vaca en ese árbol.

There is a cow in that tree.

el triángulo
triangle

Un triángulo tiene tres lados.

A triangle has three sides.

hacer trucos
to trick

Su oficio es hacer trucos.

Her job is to trick us.

el viaje
trip

Ella se va de viaje.

She is going on a trip.

tropezar
to trip

Tropezar no es divertido.

It is no fun to trip.

Transportation

el avión
airplane

el tren
train

la furgoneta
van

el monopatín
skateboard

la bicicleta
bicycle

los patines
skates

el helicóptero
helicopter

el velero
sailboat

el automóvil
car

el camión
truck

el barco
boat

el tren subterráneo
subway

el caballo
horse

el taxi
taxi

el autobús
bus

el camión *Ver Los medios de transporte (página 108).*

truck *See Transportation (page 108).*

la trompeta
trumpet

Ésta es una trompeta.

This is a trumpet.

tratar
to try

Quiere tratar de escalarla.

He wants to try to climb it.

martes
Tuesday

El martes lavamos los pisos.

On Tuesday we wash the floors.

el tulipán
tulip

Tiene un tulipán en la cabeza.

There is a tulip on his head.

girar
to turn

Tienes que hacerlo girar.

You have to turn it.

la tortuga
turtle

¡Qué tortuga tan rápida!

That is a fast turtle!

doce *Ver Los números y los colores (página 68).*
twelve *See Numbers and Colors (page 68).*

veinte *Ver Los números y los colores (página 68).*
twenty *See Numbers and Colors (page 68).*

los mellizos
twins

Ellos son mellizos.

They are twins.

dos *Ver Los números y los colores (página 68).*
two *See Numbers and Colors (page 68).*

feo
ugly

¿Crees que el sapo es feo?

Do you think the toad is ugly?

el paraguas
umbrella

Tiene un paraguas amarillo.

She has a yellow umbrella.

el tío
uncle

Mi tío es el hermano de mi papá.

My uncle is my dad's brother.

debajo
under

Hay algo debajo de la cama.

There is something under the bed.

hasta
until

Come hasta estar satisfecho.

He eats until he is full.

arriba
up

¡Da miedo aquí arriba!

It is scary up here!

sobre
upon

La caja está sobre la caja que está sobre la caja.

The box is upon the box, upon the box.

cabeza abajo
upside-down

Él está cabeza abajo.

He is upside-down.

nosotros
us

¡Ven con nosotros!

Come with us!

usar
to use

Tiene que usar un peine.

He needs to use a comb.

V

la vacación
vacation

Están de vacaciones.

They are on vacation.

la aspiradora
vacuum cleaner

¡Aquí está la aspiradora!

Here comes the vacuum cleaner!

la furgoneta
Ver Los medios de transporte (página 108).

van
See Transportation (page 108).

la verdura
vegetable

A él le gustan las verduras.

He likes vegetables.

mucho
very

Allí hace mucho frío.

It is very cold in there.

el chaleco
Ver La ropa (página 24).
vest
See Clothing (page 24).

la veterinaria
veterinarian

La veterinaria cura a los animales.

A veterinarian helps animals.

el pueblo
village

¡Qué pueblo tan bonito!

What a pretty village!

el violín
violin

Está tocando violín.

He is playing the violin.

visitar
to visit

Va a visitar a la abuelita.

He is going to visit Grandma.

el volcán
volcano

¡No te acerques al volcán!

Don't go near the volcano!

esperar
to wait

Tiene que esperar el autobús.

He has to wait for a bus.

despertarse
to wake up

Está a punto de despertarse.

He is about to wake up.

caminar
to walk

Caminar es bueno.

It is good to walk.

la pared
wall

Juan construye una pared.

John is building a wall.

querer
to want

Ella va a querer ayuda.

She is going to want help.

el calor
warm

Cerca del fuego hace calor.

It is warm by the fire.

lavar
to wash

Lleva mucho tiempo lavar algunas cosas.

It takes a long time to wash some things.

la avispa   *Ver Los insectos (página 52).*
wasp   *See Insects (page 52).*

el reloj
watch

Roberto lleva su reloj nuevo.

Robert is wearing his new watch.

observar
to watch

A Pedro le gusta observar a las hormigas.

Peter likes to watch ants.

el agua
water

La piscina está llena de agua.

The pool is full of water.

nosotros
we

¿Nos ves? Nosotros somos todos morados.

See us? We are all purple.

el tiempo
weather

¿Qué tiempo hace hoy?

What is the weather like today?

miércoles
Wednesday

El miércoles vamos a trabajar.

On Wednesday, we go to work.

la semana
week

Una semana tiene siete días.

Seven days make a week.

bienvenidos
welcome

Siempre somos bienvenidos en casa de la abuelita.

We are always welcome at Grandma's house.

bien
well

Tomás construye muy bien.

Thomas builds very well.

bien
well

Ella no se siente bien.

She is not well.

el oeste
west

El sol se pone en el oeste.

The sun goes down in the west.

mojado
wet

Guillermo está mojado.

William is wet.

qué
what

¿Qué hay frente a
la ventana?

**What is outside
the window?**

la rueda
wheel

La bicicleta necesita
una rueda nueva.

**The bicycle needs
a new wheel.**

cuando
when

Cuando duermes,
cierras los ojos.

**When you sleep,
you close your eyes.**

donde
where

Aquí es donde guarda
su cena.

**This is where he
keeps his dinner.**

cuál
which

¿Cuál quieres?

**Which one do
you want?**

mientras
while

Yo corro mientras
él duerme.

**I run while
he sleeps.**

los bigotes
whiskers

Este animal tiene
bigotes largos.

**This animal has
long whiskers.**

susurrar
to whisper

Este animal tiene
que susurrar.

**This animal needs
to whisper.**

el silbato
whistle

Ellos oyen el silbato.

**They can hear
the whistle.**

blanco
white

Ver Los números y los colores (página 68).
See Numbers and Colors (page 68).

quién
who

¿Quién eres?

Who are you?

todo
whole

¿Puede comérselo todo?

Can she eat the whole thing?

por qué
why

¿Por qué llora el bebé?

Why is the baby crying?

la esposa
wife

Ella es su esposa.

She is his wife.

el viento
wind

El viento sopla.

The wind is blowing.

la ventana
window

Veo por la ventana.

I can see through the window.

guiñar
to wink

Es divertido guiñar.

It is fun to wink.

el invierno
winter

Él esquía en invierno.

He skis in the winter.

el deseo
wish

La niña tiene un deseo.

The girl has a wish.

con
with

El gato baila con el perro.

The cat is dancing with the dog.

sin
without

Él va sin su hermana.

He is going without his sister.

la mujer
woman

Mi abuelita es una mujer simpática.

My grandma is a nice woman.

maravillosos
wonderful

Ellos son unos bailarines maravillosos.

They are wonderful dancers.

el bosque
woods

Alguien camina en el bosque.

Someone is walking in the woods.

la palabra
word

No digas ni una palabra.

Do not say a word.

el trabajo
work

Es un trabajo difícil.

That is hard work.

trabajar
to work

Ella tiene que trabajar mucho hoy.

She has to work hard today.

el mundo
world

El mundo es hermoso.

The world is beautiful.

preocupado
worried

Él está preocupado.

He is worried.

escribir
to write

Catalina trata de escribir con el lápiz.

Katherine is trying to write with the pencil.

equivocados
wrong

Se están poniendo los sombreros equivocados.

They are putting on the wrong hats.

117

X

la radiografía
X-ray

La radiografía muestra sus huesos.

The X-ray shows his bones.

el xilófono
xylophone

Toca muy bien el xilófono.

He's a great xylophone player.

Y

el jardín
yard

¡Tenemos un dinosaurio en el patio!

There is a dinosaur in our yard!

el bostezo
yawn

¡Qué bostezo tan grande!

What a big yawn!

el año
year

Él corre todo el año.

He runs all year.

amarillo
yellow

Ver Los números y los colores (página 68).

See Numbers and Colors (page 68).

sí
yes

¿Es amarillo? ¡Sí! Lo es.

Is he yellow? Yes! He is.

ayer
yesterday

Ayer es el día anterior a hoy.

Yesterday is the day before today.

tú
you

Tú lees este libro.

You are reading this book.

tus
your

¿De qué color son tus ojos?

What color are your eyes?

la cebra
zebra

¡No puedes tener una cebra de mascota!

You cannot have a pet zebra!

la cremallera
zipper

La cremallera está trabada.

The zipper is stuck.

cero *Ver Los números y los colores (página 68).*
zero *See Numbers and Colors (page 68).*

el zoológico
zoo

Veo muchos animales en el zoológico.

I can see many animals at the zoo.

el zigzag
zigzag

La casa tiene líneas en zigzag.

The house has zigzags on it.

zumbar
to zoom

El cohete va zumbando hacia el espacio.

A rocket seems to zoom into space.

cerrar
la cremallera
to zip

La abeja quiere cerrar la cremallera de su chaqueta.

The bee wants to zip her jacket.

Una cena familiar
A Family Dinner

¡La cena está lista!
Es hora de comer.
Dinner is ready!
It's time to eat.

El pollo y las verduras
se ven deliciosos.
The chicken and vegetables
look delicious.

Aquí está tu servilleta.
Here is your napkin.

¡Mmmm! ¡*Están* deliciosos!
Mmmm! They *are* delicious!

Pásame la sal y la
pimienta, por favor.
Please pass the salt
and pepper.

La cena está riquísima.
Gracias, mamá.
Dinner is great.
Thanks, Mom.

De nada, querida.
You're welcome, dear.

¿Quieres más leche?
Do you want
more milk?

No, gracias.
No, thank you.

¿Me disculpan?
May I please be excused?

¡En unos minutos!
Ayúdanos primero a recoger
la mesa.
In a few minutes!
But please help us clear
the table, first.

Claro que sí.
Of course.

Meeting and Greeting

¡Hola!
Hello!

¡Hola!
Hi!

¿Cómo estás?
How are you?

Muy bien, gracias.
I am fine, thank you.

¿Cómo te llamas?
What is your name?

Me llamo María.
¿Cómo te llamas tú?
My name is Maria.
What is your name?

Me llamo Susana.
My name is Susan.

¡Qué día tan hermoso!
What a beautiful day!

¿Vives cerca del parque?
Do you live near the park?

Sí, vivo enfrente.
Yes, I live across
the street.

¿Dónde vives tú?
Where do you live?

Vivo en la calle Main.
I live on Main Street.

¿Sabes qué hora es?
Do you know what time it is?

Son las tres en punto.
It is three o'clock.

¡Ah! Tengo que irme.
Oh, I have to go now.

Fue un placer conocerte.
It was nice to meet you.

¡Adiós!
Good-bye!

¡Hasta pronto!
See you soon!

Word List

A

a/an, un/una, 7
across, al otro lado, 7
add (to), sumar, 7
adventure, la aventura, 7
afraid, el miedo, 7
after, después, 7
again and again, una y otra vez, 7
agree (to), estar de acuerdo, 7
air, el aire, 7
airplane, el avión, 108
airport, el aeropuerto, 8
all, todas, 8
alligator, el caimán, 10
almost, casi, 8
along, por, 8
already, ya, 8
and, y, 8
answer (to), responder, 8
ant, la hormiga, 52
apartment, el apartamento, 9
apple, la manzana, 9
April, abril, 9
arm, el brazo, 76
armadillo, el armadillo, 9
around, alrededor, 9
art, el arte, 9
as, como, 9
ask (to), preguntar, 12
at, en, 12
attic, el ático, 86
August, agosto, 12
aunt, la tía, 12
awake, despierto, 12
away, lejos, 12

B

baby, el bebé, 13
back, la espalda, 13
bad, malo, 13
bag, la bolsa, 13
bakery, la panadería, 13
ball, la pelota, 13
balloon, el globo, 13
banana, el plátano, 13
band, la banda, 13
bandage, la venda, 13
bank, la alcancía, 14
barber, el barbero, 14
bark (to), ladrar, 14
baseball, el béisbol, 44

basement, el sótano, 86
basket, la canasta, 14
basketball, el baloncesto, 44
bat, el murciélago, 14
bat, el bate, 14
bath, bañarse, 14
bathroom, el baño, 86
be (to), ser, 14
beach, la playa, 15
beans, los frijoles, 15
bear, el oso, 10
beautiful, bonitas, 15
because, porque, 15
bed, la cama, 15
bedroom, el dormitorio, 86
bee, la abeja, 52
beetle, el escarabajo, 52
before, antes, 15
begin (to), comenzar, 15
behind, detrás, 16
believe (to), creer, 16
bell, la campana, 16
belt, el cinturón, 24
berry, la baya, 16
best, la mejor, 16
better, mejor, 16
between, entre, 16
bicycle, la bicicleta, 108
big, grande, 16
biking, el ciclismo, 44
bird, el ave, 17
birthday, el cumpleaños, 17
black, negro, 68
blank, en blanco, 17
blanket, la manta, 17
blouse, la blusa, 24
blow (to), soplar, 17
blue, azul, 68
boat, el barco, 108
book, el libro, 17
bookstore, la librería, 17
boots, las botas, 24
bottle, la botella, 18
bowl, la fuente, 18
bowling, los bolos, 44
box, la caja, 18
boy, el niño, 18
branch, la rama, 18
brave, valiente, 18
bread, el pan, 18
break (to), romper, 18
breakfast, el desayuno, 18
bridge, el puente, 19
bring (to), traer, 19
broom, la escoba, 19

brother, el hermano, 19
brown, marrón, 68
brush, el cepillo, 19
bubble, la burbuja, 19
bug, el insecto, 19
build (to), construir, 19
bump, el bache, 19
bus, el autobús, 108
bush, el arbusto, 20
busy, ocupado, 20
but, pero, 20
butter, la mantequilla, 20
butterfly, la mariposa, 52
button, el botón, 20
buy (to), comprar, 20
by, al lado de, 20

C

cage, la jaula, 21
cake, el pastel, 21
call (to), llamar, 21
camel, el camello, 21
camera, la cámara, 21
can, la lata, 21
candle, la vela, 21
candy, el caramelo, 21
cap, la gorra, 24
car, el automóvil, 108
card, la carta, 22
care (to), cuidar, 22
carpenter, el carpintero, 22
carrot, la zanahoria, 22
carry (to), llevar, 22
castanets, las castañuelas, 22
castle, el castillo, 22
cat, el gato, 22
caterpillar, la oruga, 52
catch (to), atrapar, 23
cave, la cueva, 23
celebrate (to), celebrar, 23
chair, la silla, 23
chalk, la tiza, 23
change (to), cambiar, 23
cheer (to), alentar, 23
cheese, el queso, 23
cherry, la cereza, 26
chicken, el pollo, 10
child, la niña, 26
chocolate, el chocolate, 26
circle, el círculo, 26
circus, el circo, 26
city, la ciudad, 26
clap (to), aplaudir, 26
class, la clase, 26

classroom, el salón de clases, 27
clean, limpio, 27
clean (to), limpiar, 27
climb (to), treparse, 27
clock, el reloj, 27
close, cerca, 27
close (to), cerrar, 27
closet, el armario, 86
cloud, la nube, 27
clown, el payaso, 28
coat, el abrigo, 24
cold, el frío, 28
comb, el peine, 28
comb (to), peinar, 28
come (to), venir, 28
computer, la computadora, 28
cook (to), cocinar, 28
cookie, la galletita, 28
count (to), contar, 28
country, el campo, 29
cow, la vaca, 10
crayon, el crayón, 29
cricket, el críquet, 44
cricket, el grillo, 52
crowded, lleno, 29
cry (to), llorar, 29
cup, la taza, 29
cut (to), cortar, 29
cute, bonito, 29

D

dad, el papá, 30
dance (to), bailar, 30
danger, el peligro, 30
dark, oscuro, 30
day, el día, 30
December, diciembre, 30
decide (to), decidir, 30
decision, la decisión, 30
deck, la terraza, 86
decorations, los adornos, 30
deer, el venado, 31
dentist, la dentista, 31
department, la sección, 31
desk, el escritorio, 31
different, diferente, 31
difficult, difícil, 31
dig (to), cavar, 31
dining room, el comedor, 86
dinner, la cena, 31
dinosaur, el dinosaurio, 31
dirty, sucio, 32

dish, el plato, 32
do (to), hacer, 32
doctor, el doctor, 32
dog, el perro, 32
doll, la muñeca, 32
dolphin, el delfín, 32
donkey, el asno, 32
door, la puerta, 32
down, abajo, 32
dragon, el dragón, 33
draw (to), dibujar, 33
drawing, el dibujo, 33
dress, el vestido, 24
drink (to), beber, 33
drive (to), conducir, 33
drop (to), dejar caer, 33
drum, el tambor, 33
dry, seca, 33
duck, el pato, 10
dust, el polvo, 33

E

each, cada, 34
ear, la oreja, 34
early, temprano, 34
earmuffs, las orejeras, 24
earn (to), ganar, 34
east, el este, 34
eat (to), comer, 34
egg, el huevo, 34
eight, ocho, 68
eighteen, dieciocho, 68
eighty, ochenta, 68
elephant, el elefante, 10
eleven, once, 68
empty, vacía, 34
end (to), acabar, 35
enough, suficiente, 35
every, todos, 35
everyone, todo el mundo, 35
everything, todo, 35
everywhere, por todas partes, 35
excited, agitado, 35
eye, el ojo, 76

F

face, la cara, 76
factory, la fábrica, 36
fall (to), caer, 36
fall, el otoño, 36
family, la familia, 36
fan, el ventilador, 36
far, lejos, 36
faraway, lejano, 36
fast, rápido, 36
fat, gordo, 36
father, el padre, 37

favorite, favorito, 37
feather, la pluma, 37
February, febrero, 37
feel (to), sentirse, 37
fence, la cerca, 37
fifteen, quince, 68
fifty, cincuenta, 68
find (to), hallar, 37
finger, el dedo, 76
fire, el fuego, 37
firefighter, el bombero, 38
firefly, la luciérnaga, 52
firehouse, la estación de bomberos, 38
first, el primero, 38
fish, el pez, 10
five, cinco, 68
fix (to), arreglar, 38
flag, la bandera, 38
flat, desinflado, 38
flea, la pulga, 52
floor, el suelo, 38
flower, la flor, 39
flute, la flauta, 39
fly, la mosca, 52
fly (to), volar, 39
fog, la niebla, 39
food, la comida, 39
foot, el pie, 39
for, para, 39
forget (to), olvidar, 39
fork, el tenedor, 39
forty, cuarenta, 68
four, cuatro, 68
fourteen, catorce, 68
fox, el zorro, 10
Friday, el viernes, 40
friend, el amigo, 40
frog, la rana, 10
front, frente, 40
fruit, la fruta, 40
full, lleno, 40
fun, divertido, 40
funny, graciosa, 40

G

game, el juego, 41
garage, el garaje, 86
garden, el jardín, 41
gate, el portón, 41
get (to), agarrar, 41
giraffe, la jirafa, 10
girl, la niña, 41
give (to), dar, 41
glad, contenta, 41
glass, el vidrio, 42
glasses, los anteojos, 42
gloves, los guantes, 24
go (to), ir, 42

goat, la cabra, 10
golf, el golf, 44
good, bueno, 42
good-bye, adiós, 42
goose, el ganso, 42
gorilla, el gorila, 43
grab (to), agarrar, 43
grandfather, el abuelo, 43
grandma, la abuelita, 43
grandmother, la abuela, 43
grandpa, el abuelito, 43
grape, la uva, 43
grass, el pasto, 43
grasshopper, el saltamontes, 52
gray, gris, 68
great, fantástica, 46
green, verde, 68
groceries, los comestibles, 46
ground, la tierra, 46
group, el grupo, 46
grow (to), crecer, 46
guess (to), adivinar, 46
guitar, la guitarra, 46

H

hair, el cabello, 76
half, la mitad, 47
hall, el pasillo, 86
hammer, el martillo, 47
hammock, la hamaca, 47
hand, la mano, 76
happy, feliz, 47
hard, dura, 47
harp, el arpa, 47
hat, el sombrero, 24
have (to), tener, 47
he, él, 47
head, la cabeza, 76
hear (to), oír, 76
heart, el corazón, 48
helicopter, el helicóptero, 108
hello, hola, 48
help, la ayuda, 48
her, su, 48
here, aquí, 48
hi, hola, 48
hide (to), esconderse, 48
high, alta, 48
hill, la colina, 48
hippopotamus, el hipopótamo, 10
hit (to), pegarle, 49
hold (to), sujetar, 49
hole, el agujero, 49
home, el hogar, 49
hooray, hurrá, 49
hop (to), saltar, 49

horn, la corneta, 49
horse, el caballo, 10
hospital, el hospital, 49
hot, caliente, 49
hotel, el hotel, 49
hour, la hora, 50
house, la casa, 50
how, cómo, 50
hug, el abrazo, 50
huge, enorme, 50
hundred, cien, 68
hungry, el hambre, 50
hurry (to), apurarse, 50
hurt (to), doler, 50
husband, el esposo, 50

I

I, yo, 51
ice, el hielo, 51
ice cream, el helado, 51
idea, la idea, 51
important, importante, 51
in, en, 51
inside, dentro, 51
into, adentro, 51
island, la isla, 51

J

jacket, la chaqueta, 24
jaguar, el jaguar, 10
jam, la mermelada, 54
January, enero, 54
jar, el pote, 54
job, el trabajo, 54
juice, el jugo, 54
July, julio, 54
jump (to), saltar, 54
June, junio, 54
junk, los cachivaches, 54

K

kangaroo, el canguro, 10
to keep, quedar, 55
key, la llave, 55
to kick, patear, 55
kind, buena, 55
kind, el tipo, 55
king, el rey, 55
kiss, el beso, 55
kitchen, la cocina, 86
kite, la cometa, 56
kitten, el gatito, 56
knee, la rodilla, 76
knife, el cuchillo, 56
to knock, golpear, 56
to know, saber, 56

L

ladder, la escalera, 57
lake, el lago, 57
lamp, la lámpara, 57
lap, el regazo, 57
last, el último, 57
late, tarde, 57
laugh (to), reírse, 57
laundry room, el lavadero, 86
lazy, perezoso, 57
leaf, la hoja, 57
leave (to), ir, 58
left, izquierda, 58
leg, la pierna, 76
lemon, el limón, 58
leopard, el leopardo, 58
let (to), dejar, 58
letter, la carta, 58
library, la biblioteca, 58
lick (to), lamer, 58
life, la vida, 58
light, la luz, 59
lightning, el relámpago, 59
like (to), gustar, 59
like, como, 59
line, la línea, 59
lion, el león, 10
listen (to), escuchar, 59
little, pequeño, 59
live (to), vivir, 59
living room, la sala, 86
llama, la llama, 10
lock (to), cerrar con llave, 60
long, larga, 60
look (to), mirar, 60
lose (to), perder, 60
lost, perdido, 60
lots, muchas, 60
loud, fuerte, 60
love (to), encantar, 60
love, el amor, 60
low, bajo, 60
lunch, el almuerzo, 60

M

mad, enojadas, 61
mail, el correo, 61
mailbox, el buzón, 61
mail carrier, el cartero, 61
make (to), hacer, 61
man, el hombre, 61
mango, el mango, 61
mantis, la mantis religiosa, 52
many, muchos, 61
map, el mapa, 61
maraca, la maraca, 62
March, marzo, 62

math, las matemáticas, 62
May, mayo, 62
maybe, quizás, 62
mayor, el alcalde, 62
me, mí, 62
mean (to), significar, 62
meat, la carne, 62
medicine, el remedio, 62
meet (to), conocer, 63
meow, miau, 63
mess, el desorden, 63
messy, desordenado, 63
milk, la leche, 63
minute, el minuto, 63
mirror, el espejo, 63
miss (to), perder, 63
mittens, los mitones, 24
mix (to), mezclar, 63
mom, la mamá, 64
Monday, lunes, 64
money, el dinero, 64
monkey, el mono, 10
month, el mes, 64
moon, la luna, 64
more, más, 64
morning, la mañana, 64
mosquito, el mosquito, 52
most, casi toda, 64
moth, la polilla, 52
mother, la madre, 65
motorcycle, la motocicleta, 108
mountain, la montaña, 65
mouse, el ratón, 65
mouth, la boca, 76
move (to), mudarse, 65
movie, la película, 65
Mr., Sr., 65
Mrs., Sra., 65
much, mucho, 65
music, la música, 65
my, mi, 65

N

nail, el clavo, 66
name, el nombre, 66
neck, el cuello, 76
necklace, el collar, 66
need (to), necesitar, 66
neighbor, el vecino, 66
nest, el nido, 66
never, nunca, 66
new, nuevo, 66
newspaper, el periódico, 66
next, al lado, 67
next, el siguiente, 67
nice, lindo, 67
night, la noche, 67
nine, nueve, 68

nineteen, diecinueve, 68
ninety, noventa, 68
no, no, 67
noise, el ruido, 67
noisy, ruidosos, 67
noon, el mediodía, 67
north, el norte, 70
nose, la nariz, 76
not, no, 70
note, la nota, 70
nothing, nada, 70
November, noviembre, 70
now, ahora, 70
number, el número, 70
nurse, la enfermera, 70
nut, la nuez, 70

O

ocean, el mar, 71
o'clock, en punto, 71
October, octubre, 71
of, de, 71
office, la oficina, 86
oh, oh, 71
old, viejo, 71
on, sobre, 71
once, una vez, 72
one, uno, 68
onion, la cebolla, 72
only, la única, 72
open, abierta, 72
or, o, 72
orange, anaranjado, 68
orange, la naranja, 72
ostrich, el avestruz, 72
other, otro, 73
ouch, ay, 73
out, afuera, 73
outdoors, al aire libre, 73
oven, el horno, 73
over, encima, 73
owl, la lechuza, 73
own (to), tener, 73

P

page, la página, 74
paint, la pintura, 74
painter, el pintor, 74
pajamas, el pijama, 74
pan, la olla, 74
panda, el panda, 74
pants, los pantalones, 24
paper, el papel, 74
parent, el padre, 74
park, el parque, 74
parrot, el loro, 75
part, la parte, 75
party, la fiesta, 75

pat (to), acariciar, 75
paw, la pata, 75
pea, el guisante, 75
peach, el melocotón, 75
pen, la pluma, 75
pencil, el lápiz, 75
penguin, el pingüino, 78
people, la gente, 78
pepper, la pimienta, 78
peppers, los pimientos, 78
perfume, el perfume, 78
pet, la mascota, 78
photograph, la fotografía, 78
piano, el piano, 78
pick (to), recoger, 78
picnic, la comida campestre, 78
picture, el dibujo, 79
pie, la tarta, 79
pig, el cerdo, 10
pillow, la almohada, 79
ping-pong, el ping-pong, 44
pink, rosado, 68
pizza, la pizza, 79
place (to), poner, 79
plan (to), planear, 79
plant (to), plantar, 79
play (to), jugar, 79
playground, el parque de recreo, 80
playroom, el cuarto de los juguetes, 86
please, por favor, 80
pocket, el bolsillo, 80
point, la punta, 80
point (to), señalar, 80
police officer, la agente de policía, 80
police station, el cuartel de policía, 80
polite, amable, 80
pond, el estanque, 80
poor, pobre, 81
porch, el porche, 86
post office, el correo, 81
pot, la olla, 81
potato, la papa, 81
pound (to), clavar, 81
present, el regalo, 81
pretty, bonita, 81
prince, el príncipe, 81
princess, la princesa, 81
prize, el premio, 82
proud, orgullosa, 82
pull (to), jalar, 82
puppy, el cachorro, 82
purple, morado, 68
purse, la cartera, 82
push (to), empujar, 82
put (to), ponerse, 82
puzzle, el rompecabezas, 82

Q

quack, cua, 83
quarrel (to), discutir, 83
quarter, el cuarto, 83
queen, la reina, 83
question, la pregunta, 83
quick, rápido, 83
quiet, el silencio, 83
quilt, el edredón, 83
quit (to), dejar, 83
quite, bastante, 83

R

rabbit, el conejo, 10
race, la carrera, 84
radio, la radio, 84
rain, la lluvia, 84
rainbow, el arco iris, 84
raincoat, el impermeable, 24
raindrop, la gota de lluvia, 84
raining, llueve, 84
read (to), leer, 84
ready, lista, 84
real, verdadero, 85
really, verdaderamente, 85
red, rojo, 68
refrigerator, la nevera, 85
remember (to), recordar, 85
restaurant, el restaurante, 85
rice, el arroz, 85
rich, rico, 85
ride (to), montar, 85
right, derecha, 85
ring, el anillo, 88
ring (to), sonar, 88
river, el río, 88
road, el camino, 88
robot, el robot, 88
rock, la roca, 88
roof, el techo, 88
room, el cuarto, 88
rooster, el gallo, 10
root, la raíz, 89
rose, la rosa, 89
round, redonda, 89
rub (to), frotar, 89
rug, la alfombra, 89
run (to), correr, 89
running, la carrera, 44

S

sad, triste, 90
sailboat, el velero, 108
salad, la ensalada, 90
salt, la sal, 90
same, iguales, 90
sand, la arena, 90
sandwich, el emparedado, 90
sandy, arenosa, 90
Saturday, sábado, 90
sausage, la salchicha, 90
saw, la sierra, 91
say (to), decir, 91
scarf, la bufanda, 24
school, la escuela, 91
scissors, las tijeras, 91
scrub (to), fregar, 91
sea, el mar, 91
seat, el asiento, 91
secret, el secreto, 91
see (to), ver, 76
seed, la semilla, 92
sell (to), vender, 92
send (to), enviar, 92
September, septiembre, 92
seven, siete, 68
seventeen, diecisiete, 68
seventy, setenta, 68
shark, el tiburón, 92
shawl, el chal, 24
she, ella, 92
sheep, la oveja, 10
shirt, la camisa, 24
shoes, los zapatos, 24
shop (to), comprar, 92
short, bajo, 93
shout (to), gritar, 93
shovel, la pala, 93
show, la actuación, 93
show (to), mostrar, 93
shy, tímido, 93
sick, enfermo, 93
side, el lado, 93
sidewalk, la acera, 93
sign, el letrero, 93
silly, tonta, 94
sing (to), cantar, 94
sister, la hermana, 94
sit (to), sentarse, 94
six, seis, 68
sixteen, dieciséis, 68
sixty, sesenta, 68
skateboard, el monopatín, 108
skates, los patines, 108
skating (ice), el patinaje sobre hielo, 44
skiing, el esquí, 44
skirt, la falda, 24
sky, el cielo, 94
sleep (to), dormir, 94
slow, lenta, 95
small, pequeña, 95
smell (to), oler, 76
smile, la sonrisa, 95
smoke, el humo, 95
snail, el caracol, 95
snake, la serpiente, 10
sneakers, las zapatillas, 24
snore (to), roncar, 95
snow, la nieve, 95
snowball, la bola de nieve, 95
so, tan, 96
soap, el jabón, 96
soccer, el fútbol, 44
socks, los calcetines, 24,
sofa, el sofá, 96
some, algunas, 96
someday, algún día, 96
someone, alguien, 96
something, algo, 96
song, la canción, 96
soon, pronto, 96
sorry, arrepentida, 97
soup, la sopa, 97
south, el sur, 97
special, especial, 97
spider, la araña, 97
spoon, la cuchara, 97
spring, la primavera, 97
square, el cuadrado, 97
squirrel, la ardilla, 97
stamp, la estampilla, 97
stand (to), estar de pie, 98
star, la estrella, 98
start (to), comenzar, 98
stay (to), quedarse, 98
step (to), pisar, 98
stick, el palo, 98
sticky, pegajoso, 98
still, aún, 98
stomach, el estómago, 76
stop (to), detenerse, 98
store, la tienda, 98
storm, la tormenta, 99
story, el cuento, 99
strange, extraño, 99
strawberry, la fresa, 99
street, la calle, 99
student, el estudiante, 99
subway, el tren subterráneo, 108
suddenly, de pronto, 99
suit, el traje, 99
suitcase, la maleta, 99
summer, el verano, 100
sun, el sol, 100
Sunday, domingo, 100
sunflower, el girasol, 100
sunny, soleados, 100
sure, segura, 100
surprised, sorprendida, 100
sweater, el suéter, 24
swim (to), nadar, 100
swimming, la natación, 44

T

table, la mesa, 101
tail, el rabo, 101
take (to), llevar, 101
talk (to), hablar, 101
tall, alto, 101
tambourine, la pandereta, 101
tan, canela, 68
taste (to), probar, 76
taxi, el taxi, 108
teacher, la maestra, 101
tear, la lágrima, 101
telephone, el teléfono, 102
television, la televisión, 102
tell (to), decir, 102
ten, diez, 68
tennis, el tenis, 44
tent, la tienda de campaña, 102
termite, la termita, 52
terrible, terrible, 102
thank (to), agradecer, 102
that, eso, 102
the, el, la, los, las, 103
their, sus, 103
them, les, 103
then, luego, 103
there, allí, 103
these, estos, 103
they, ellos, 103
thin, delgado, 103
thing, la cosa, 103
think (to), pensar, 104
thirsty (to be), tener sed, 104
thirteen, trece, 68
thirty, treinta, 68
this, este, 104
those, esos, 104
thousand, mil, 68
three, tres, 68
through, por, 104
throw (to), lanzar, 104
thumb, el pulgar, 76
thunder, el trueno, 104
Thursday, jueves, 105
tie, la corbata, 24
tie (to), atar, 105
tiger, el tigre, 105
time, la hora, 105
tire, el neumático, 105
tired, cansada, 105
to, a, 105
today, hoy, 105
toe, el dedo del pie, 76
together, juntos, 106
tomato, el tomate, 106
tomorrow, mañana, 106
tonight, esta noche, 106